A Nova Era
e a Revolução
Cultural

Fritjof Capra & Antonio Gramsci

Olavo de Carvalho

A Nova Era e a Revolução Cultural

Fritjof Capra & Antonio Gramsci

4ª edição,
revista e muito aumentada

VIDE EDITORIAL

A Nova Era e a Revolução Cultural: Fritjof Capra & Antonio Gramsci
Olavo de Carvalho
Impresso no Brasil
4ª edição – julho de 2014
Copyright © 2014 by Olavo de Carvalho
Imagem da capa: *Behemoth and Leviathan*, gravura de William Blake

Gestão Editorial
Diogo Chiuso

Editor
Silvio Grimaldo de Camargo

Editor-assistente
Thomaz Perroni

Editoração
Renan Santos

Capa
J. Ontivero

Conselho Editorial
Adelice Godoy
César Kyn d'Ávila
Diogo Chiuso
Rodrigo Gurgel
Silvio Grimaldo de Camargo

Os direitos desta edição pertencem ao
CEDET - Centro de Desenvolvimento Profissional e Tecnológico
Rua Ângelo Vicentin, 70
CEP: 13084-060 - Campinas - SP
Telefone: 19-3249-0580
e-mail: livros@cedet.com.br

VIDE Editorial – www.videeditorial.com.br

Reservados todos os direitos desta obra. Proibida toda e qualquer reprodução desta edição por qualquer meio ou forma, seja ela eletrônica ou mecânica, fotocópia, gravação ou qualquer meio.

❋ Sumário

Introdução geral à trilogia ❋ 9
Prefácio à segunda edição ❋ 19
Nota prévia [da 1ª edição] ❋ 27

I - *Lana caprina*, ou: A sabedoria do sr. Capra ❋ 31
   Adendo ❋ 49
   Sugestões de leitura ❋ 53

II - Sto. Antonio Gramsci e a salvação do Brasil ❋ 55
   Adendos ❋ 78

III - A Nova Era e a Revolução Cultural ❋ 89

Observações finais ❋ 93

APÊNDICES
As esquerdas e o crime organizado ❋ 97
O Brasil do PT ❋ 114
Bandidos & letrados ❋ 122
Máfia gramsciana ❋ 137
Efeitos da "grande marcha" ❋ 142
Medindo as palavras ❋ 144
Tentando enxergar ❋ 146
Um inimigo do povo ❋ 149
Doutrinação difusa ❋ 153
Os gurus do crime ❋ 156
Do marxismo cultural ❋ 159
Transição revolucionária ❋ 163
Antonio Gramsci e a teoria do bode ❋ 166
Que é hegemonia? ❋ 168

Nossa mídia e seu guru ※ 171
Cegueira dupla ※ 174
Dominador invisível ※ 177
A clareza do processo ※ 180
Engordando o porco ※ 181
Cozinhando a rã ※ 183
A receita dos mestres ※ 185
A unidade da duplicidade ※ 187
O nome da coisa ※ 189
A Gestapo terceirizada ※ 192
Por que o brasileiro vota na esquerda ※ 194
Da fantasia deprimente à realidade temível ※ 196
Perdendo a guerra cultural ※ 203
Arredondando os quadrados ※ 206
Revolução social ※ 210
Recordações inúteis ※ 213
A camuflagem da camuflagem ※ 215

POSFÁCIO:
Uma conversa com o autor duas décadas depois ※ 221

The blood-dimmed tide is loosed, and everywhere
The ceremony of innocence is drowned;
The best lack all conviction, while the worst
Are full of passionate intensity.

WILLIAM BUTLER YEATS,
The Second Coming

INTRODUÇÃO GERAL À TRILOGIA

Manual do usuário de O Imbecil Coletivo: Atualidades Inculturais Brasileiras *e dos volumes que o antecederam:* A Nova Era e a Revolução Cultural: Fritjof Capra & Antonio Gramsci *e* O Jardim das Aflições: De Epicuro à Ressurreição de César – Ensaio sobre o Materialismo e a Religião Civil.[1]

O IMBECIL COLETIVO encerra a trilogia iniciada com *A Nova Era e a Revolução Cultural* (1994) e prosseguida com *O Jardim das Aflições* (1995).

Cada um dos três livros pode ser compreendido sem os outros dois. O que não se pode é, por um só deles, captar o fundo do pensamento que orienta a trilogia inteira.

A função de *O Imbecil Coletivo* na coleção é bastante explícita e foi declarada no prefácio: descrever, mediante exemplos, a extensão e a gravidade de um estado de coisas – atual e brasileiro – do qual *A Nova Era* dera o alarma e cuja precisa localização no conjunto da evolução das idéias no mundo fora diagnosticada em *O Jardim das Aflições*.

---

1 Texto lido no lançamento de *O Imbecil Coletivo*, na Faculdade da Cidade, Rio de Janeiro, em 22 de agosto de 1996.

O sentido da série é, portanto, nitidamente, o de situar a cultura brasileira de hoje no quadro maior da história das idéias no Ocidente, num período que vai de Epicuro até a "nova retórica" de Chaim Perelman. Que eu saiba, ninguém fez antes um esforço de pensar o Brasil nessa escala. Meus únicos antecessores parecem ter sido Darcy Ribeiro, Mário Vieira de Mello e Gilberto Freyre, o primeiro com a tetralogia iniciada com *O processo civilizatório*, o segundo com *Desenvolvimento e cultura*, o terceiro com sua obra inteira. Separo-me deles, no entanto, por diferenças essenciais: Ribeiro emprega uma escala muito maior, que começa no homem de Neanderthal, mas ao mesmo tempo procura abranger esse imenso território desde o prisma de uma determinada ciência empírica, a Antropologia, e fundado numa base filosófica decepcionantemente estreita, que é o marxismo nu e cru. Vieira de Mello, com muito mais envergadura filosófica, não se aventura a remontar além do período da Revolução Francesa, com algumas incursões até o Renascimento e a Reforma. Quanto a Gilberto, o ciclo que lhe interessa é o que se inicia com as grandes navegações. De modo geral, os estudiosos da identidade brasileira deram por pressuposto que, tendo entrado na História no período chamado "moderno", o Brasil não tinha por que tentar enxergar-se num espelho temporal mais amplo. Estou, portanto, sozinho na jogada, e posso alegar em meu favor o temível mérito da originalidade.

Temível porque originalidade é singularidade, e a mente humana está mal equipada para perceber as singularidades como tais: ou as expele logo do círculo de atenção, para evitar o incômodo de adaptar-se a uma forma desconhecida, ou as apreende somente pelas analogias parciais e de superfície que permitem assimilá-las erroneamente a alguma classe de objetos conhecidos. Entre a rejeição silenciosa e o engano loquaz, minha trilogia não tem muitas chances de ser bem compreendida.

Mas a singularidade, nela, não está só no assunto. Está também nos postulados filosóficos que a fundamentam e na forma

Introdução geral à trilogia

literária que escolhi para apresentá-la, ou antes, que sem escolha me foi imposta pela natureza do assunto e pelas circunstâncias do momento.

Quanto à forma, o leitor há de reparar que difere nos três volumes. O primeiro compõe-se de dois ensaios de tamanho médio, colocados entre duas introduções, vários apêndices, um punhado de notas de rodapé e uma conclusão. O todo dá à primeira vista a idéia de textos de origens diversas juntados pela coincidência fortuita de assunto. A um exame mais detalhado, revela a unidade da idéia subjacente, encarnada no símbolo que fiz imprimir na capa: os monstros bíblicos Beemot e Leviatã, na gravura de William Blake, o primeiro imperando pesadamente sobre o mundo, o maciço poder de sua pança firmemente apoiado sobre as quatro patas, o segundo agitando-se no fundo das águas, derrotado e temível no seu rancor impotente.

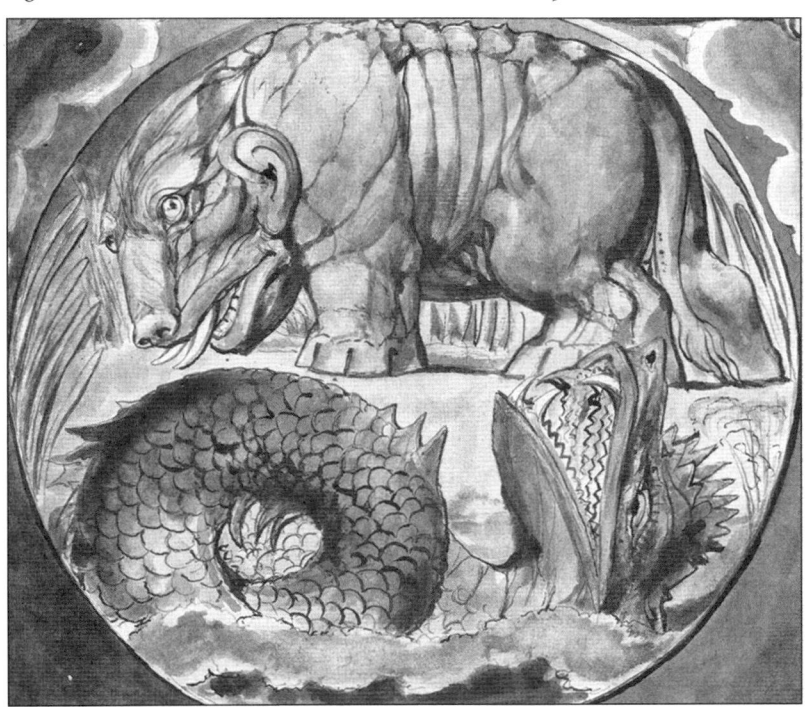

Não usei a gravura de Blake por boniteza, mas para indicar que atribuo a esses símbolos exatamente o sentido que lhes atribuiu Blake. Detalhe importante, porque essa interpretação não é nenhuma alegoria poética, mas, como assinalou Kathleen Raine em *Blake and Tradition*, a aplicação rigorosa dos princípios do simbolismo cristão. Na Bíblia, Deus exibe Beemot a Jó, dizendo: "Eis Beemot, que criei contigo" (Jó 40, 10). Aproveitando a ambigüidade do original hebraico, Blake traduz o "contigo" por *from thee*, "de ti", indicando a unidade de essência entre o homem e o monstro: Beemot é a um tempo um poder macrocósmico e uma força latente na alma humana. Quanto a Leviatã, Deus pergunta: "Porventura poderás puxá-lo com o anzol e atar sua língua com uma corda?" (Jó 40, 21), tornando evidente que a força da revolta está na língua, ao passo que o poder de Beemot, como se diz em Jó 40, 11, reside no ventre. Maior clareza não poderia haver no contraste de um poder psíquico e de um poder material: Beemot é o peso maciço da necessidade natural, Leviatã é a infranatureza diabólica, invisível sob as águas – o mundo psíquico – que agita com a língua.

O sentido que Blake registra nessas figuras não é uma "interpretação", na acepção negativa que Susan Sontag dá a esta palavra: é, como deve ser toda boa leitura de texto sacro, a tradução direta de um simbolismo universal. Para Blake, embora Beemot represente o conjunto das forças obedientes a Deus, e Leviatã o espírito de negação e rebelião, ambos são igualmente monstros, forças cósmicas desproporcionalmente superiores ao homem, que movem combate uma à outra no cenário do mundo, mas também dentro da alma humana. No entanto não é ao homem, nem a Beemot, que cabe subjugar o Leviatã. Só o próprio Deus pode fazê-lo. A iconografia cristã mostra Jesus como o pescador que puxa o Leviatã para fora das águas, prendendo sua língua com um anzol. Quando, porém, o homem se furta ao combate interior, renegando a ajuda do Cristo, então se desencadeia a luta destrutiva entre a natureza e as forças rebeldes antinaturais, ou infranaturais. A luta transfere-se da esfera espiritual e interior para o cenário exterior da História. É assim que a gravura de Blake, inspirada na narrativa

Introdução geral à trilogia

bíblica, nos sugere com a força sintética de seu simbolismo uma interpretação metafísica quanto à origem das guerras, revoluções e catástrofes: elas refletem a demissão do homem ante o chamamento da vida interior. Furtando-se ao combate espiritual que o amedronta, mas que poderia vencer com a ajuda de Jesus Cristo, o homem se entrega a perigos de ordem material no cenário sangrento da História. Ao fazê-lo, move-se da esfera da Providência e da Graça para o âmbito da fatalidade e do destino, onde o apelo à ajuda divina já não pode surtir efeito, pois aí já não se enfrentam a verdade e o erro, o certo e o errado, mas apenas as forças cegas da necessidade implacável e da rebelião impotente. No plano da História mais recente, isto é, no ciclo que começa mais ou menos na época do Iluminismo, essas duas forças assumem claramente o sentido do rígido conservadorismo e da *hübris* revolucionária. Ou, mais simples ainda, direita e esquerda.

O drama inteiro aí descrito pode-se resumir iconograficamente no esquema em cruz que coloquei depois em *O Jardim das Aflições*, mas que já está subentendido em *A Nova Era e a Revolução Cultural*, pois constitui a estrutura mesma do enfoque analítico pelo qual procuro aí apreender a significação das duas correntes de idéias mencionadas no título: o holismo neocapitalista de Fritjof Capra e o empreendimento gramsciano de devastação cultural.

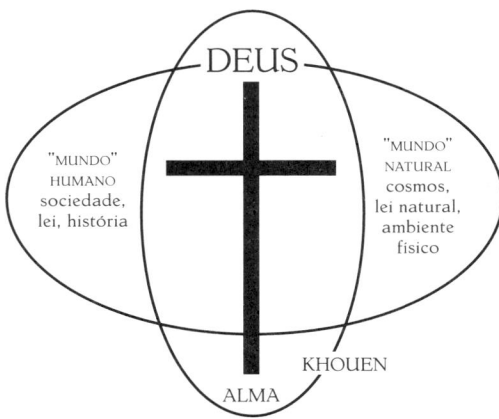

Nesse primeiro volume, a forma adotada inicialmente não podia ser mais clara e foi imposta pela natureza mesma do assunto: uma introdução, um capítulo para Capra, outro para Gramsci, um retrospecto comparativo e uma conclusão inescapável: as ideologias, quaisquer que fossem, estavam sempre limitadas à dimensão horizontal do tempo e do espaço, opunham o coletivo ao coletivo, o número ao número; perdida a vertical que unia a alma individual à universalidade do espírito divino, o singular ao Singular, perdia-se junto com ela o sentido de escala, o senso das proporções e das prioridades, de modo que as ideologias tendiam a ocupar totalitariamente o cenário inteiro da vida espiritual e a negar ao mesmo tempo a totalidade metafísica e a unidade do indivíduo humano, reinterpretando e achatando tudo no molde de uma cosmovisão unidimensional.

As notas e apêndices, que aparentemente colocam alguma desordem na forma do conjunto, servem aí a dois propósitos opostos e complementares: de um lado, indicar as bases mais gerais que o argumento conservava implícitas, mostrando ao leitor que a análise de Capra e Gramsci era apenas a ponta visível de uma investigação muito mais ampla que, àquela altura, só meus alunos conheciam através das aulas e apostilas do *Seminário de Filosofia*, mas que, nas condições de uma vida anormalmente agitada, eu não estava certo de poder redigir por completo algum dia; de outro lado, indicar que minhas análises não pairavam do céu das meras teorias, mas que se aplicavam à compreensão de fatos políticos que se desenrolavam na cena brasileira na hora mesma em que eu ia escrevendo o livro – daí as arestas polêmicas que dão a trechos desse ensaio uma aparência de jornalismo de combate. Se alguns leitores não viram no livro mais que essa superfície – como outros não verão em *O Imbecil Coletivo* senão a crítica de ocasião a certos figurões do dia e em *O Jardim das Aflições* um ataque ao *establishment* uspiano –, não posso dizer que perderam nada, pois o restante e o melhor do que se contém nesses livros não foi feito realmente para esses leitores e é bom mesmo que permaneça invisível aos seus olhos.

Se no primeiro volume permiti que a idéia central fosse apenas esboçada em fragmentos, um tanto à maneira minimalista, para que o leitor, antes pressentindo-a do que percebendo-a, tivesse o trabalho de ir buscá-la no fundo de si mesmo em vez de simplesmente pegá-la na superfície da página, no segundo, *O Jardim das Aflições*, segui a estratégia inversa: ser o mais explícito possível e dar à exposição o máximo de unidade, obrigando o leitor a seguir uma argumentação cerrada, sem saltos ou interrupções, ao longo de quatrocentas páginas. Mas, para não dar a ilusão de que essa forma completa abrangesse a totalidade do meu pensamento a respeito do tema, espalhei ao longo do texto centenas de notas de rodapé que indicavam os pressupostos teóricos implícitos, as possibilidades de aprofundamentos por realizar (ou já realizados só oralmente em aula), e mil e uma sementes de desenvolvimentos possíveis e interessantes, que eu realizaria se tivesse uma vida sem fim, mas que os leitores inteligentes bem podem ir realizando por sua conta. A unidade de argumentação de *O Jardim das Aflições*, que na minha intenção, confirmada por alguns leitores, dá a esse livro não obstante pesadíssimo e complexo a legibilidade de um romance policial, mostra assim não ser a unidade cerrada de um sistema, mas a unidade de um *holon*, como diria Arthur Koestler: algo que, visto de um lado, é um todo em si, e, de outro lado, é parte de um todo mais vasto. Esta homologia de parte e todo repete-se, por sua vez, na estrutura interna do livro, onde o evento aparentemente insignificante que lhe serve de ponto de partida já contém, na sua escala microcósmica, ou microscópica, as linhas gerais da interpretação global da história do Ocidente, que é apresentada nos capítulos restantes. Aqueles leitores que se queixaram de que um livro tão substancioso começasse pelo comentário polêmico de um acontecimento menor, mostraram não compreender bem uma das mensagens principais do livro, que é a de que, à luz de uma metafísica da História, não há propriamente acontecimentos menores – o grande e o pequeno estão coeridos na unidade orgânica de um Sentido que tudo pervade. Aquilo que nada pesa na ordem causal pode muito revelar na ordem da significação.

E, na verdade, se houvesse acontecimentos perfeitamente insignificantes, que nada merecessem senão o desprezo e o silêncio, o terceiro volume da série, *O Imbecil Coletivo*, não poderia sequer ter sido escrito: pois o que nele apresento é um mostruário comentado de banalidades culturais que muito significam precisamente na medida em que não valem nada. E, se decidi reuni-las num volume, dando-lhes a dignidade de serem lembradas quando seus autores já nada mais forem senão sombras no Hades, que é o sepulcro do irrelevante, foi precisamente porque entendi que, partindo de cada uma delas, e girando em círculos concêntricos cada vez mais amplos, se poderia chegar a visões de escala universal semelhantes àquela em que, partindo de uma picuinha cultural ocorrida no Museu de Arte de São Paulo em 1990, mostrei aos leitores de *O Jardim das Aflições* o combate de Leviatã e Behemot no horizonte inteiro da história Ocidental. E, não podendo refazer tamanho esforço hermenêutico a cada nova babaquice cultural que lesse nos jornais, decidi reunir algumas e oferecê-las aos leitores como amostras para fins de exercício. *O Imbecil Coletivo* é, portanto, o livro de tarefas que acompanha o texto-base trazido em *O Jardim das Aflições*, ficando *A Nova Era* como abreviatura para principiantes. Quem leia assim *O Imbecil Coletivo*, buscando ali as lições de casa para reconstituir, desde três dezenas de exemplos, os lineamentos da visão da História e do método interpretativo exposto nos volumes anteriores, e buscando sempre a unidade orgânica entre a parte e o todo, entre a visão filosófica de uma cultura milenar e as amostras da incultura momentânea de um país esquecido à margem da História, esse terá conquistado para si a melhor parte do que lhe dei. Pois é assim que se lêem os livros dos filósofos, mesmo quando se trate apenas de um filosofinho como este que lhes fala.

Admito que, se em qualquer dos três livros tivesse adotado uma forma expositiva mais ao gosto acadêmico, eu não precisaria estar agora chamando a atenção para uma unidade de pensamento que transpareceria à primeira vista. Mas essa visibilidade custaria a perda de todas as referências à vida autêntica e o aprisionamento do meu discurso numa redoma lingüística que não combina nem com o meu temperamento nem com a regra que me impus alguns anos atrás, de nunca falar impessoalmente nem em nome de alguma entidade coletiva, mas sempre diretamente em meu próprio nome apenas, sem qualquer retaguarda mais respeitável que a simples honorabilidade de um animal racional, bem como de nunca me dirigir a coletividades abstratas, mas sempre e unicamente a indivíduos de carne e osso, despidos das identidades provisórias que o cargo, a posição social e a filiação ideológica superpõem àquela com que nasceram e com a qual hão de comparecer, um dia, ante o Trono do Altíssimo. Estou profundamente persuadido de que somente nesse nível de discurso se pode filosofar autenticamente.

Ademais, existe algum mérito pedagógico em não ser bem arrumadinho, em poder dispor os dados não na ordem mais costumeira em que os desejaria o espectador preguiçoso, mas em desarrumá-los inteligentemente de modo a obrigar o leitor a tomar parte ativa na investigação. E há um prazer imenso em misturar os gêneros literários quando se é autor de um livreto que antes os distinguiu e catalogou com requintes de rigidez formal.[2]

Estou imensamente satisfeito de ter podido concluir esta trilogia e de poder estar aqui hoje, nesta celebração que para mim é menos a do lançamento de um livro que a da conclusão de uma parte, de uma etapa da tarefa que me cabe nesta vida. Tarefa que é, em essência, a de romper o círculo de limitações e constrangimentos que o discurso ideológico tem imposto às inteligências deste país, a de vincular a nossa cultura às correntes

---

2 Cf. "Os gêneros literários: Seus fundamentos metafísicos". In *A dialética simbólica – estudos reunidos*. São Paulo. É Realizações, 2007.

milenares e mais altas da vida espiritual no mundo, a fazer em suma com que o Brasil, em vez de se olhar somente no espelho estreito da modernidade, imaginando que quatro séculos são a história inteira do mundo, consiga se enxergar na escala do drama humano ante o universo e a eternidade. Tarefa que é, no seu mais elevado e ambicioso intuito, a de remover os obstáculos mentais que hoje impedem que a cultura brasileira receba uma inspiração mais forte do espírito divino e possa florescer como um dom magnífico a toda a humanidade.

PREFÁCIO À SEGUNDA EDIÇÃO

Decorridos alguns meses da primeira edição, rapidamente esgotada, os acontecimentos não fizeram senão confirmar com igual rapidez os diagnósticos que apresentei neste livro.

O Brasil vive, de um lado, uma crise profunda da inteligência, de que é reflexo o deslumbramento apalermado com que recebemos e enaltecemos, como altas produções do espírito, as idéias mais sonsas e descabidas que nos chegam do estrangeiro. O sr. Capra não foi o último da série. Depois dele recebemos a visita e as luzes do sr. Richard Rorty, cuja proposta, filosoficamente indecorosa e moralmente repugnante, os pensadores locais não ousaram criticar senão com precauções e desculpas que raiavam o servilismo.[3]

---

3 V. José Arthur Gianotti, "Conversa com Richard Rorty", *Jornal do Brasil*, 26 de maio de 1994. É no mínimo estranho que um homem como Gianotti, tão valente ao expor idéias políticas mesmo quando lhe atraiam a ira dos sumos-sacerdotes da esquerda nacional, se cubra de cautelas ao criticar um pensamento tão vulnerável como o de Rorty. Explica-se, talvez, pela crônica timidez uspiana, inibição intelectual que se tornou, em versão fetichizada, a caricatura tupiniquim do "rigor" ensinado pelos primeiros mestres — franceses — fundadores da USP. O "rigor" uspiano é na verdade moleza, tremor da geléia terceiromundana ante a autoridade dos ídolos da moda — compensação junguiana pela petulância ante o legado espiritual do passado. Mesmo em sua versão original européia, herdeira de nobres tradições filosóficas, um rigorismo acadêmico inibitório torna-se muitas vezes o refúgio comunitário onde o intelecto mal dotado vai abrigar-se contra os perigos da investigação solitária — vale dizer, contra o exercício mesmo da filosofia. O

Esse fenômeno é, em parte, efeito passivo da crise da inteligência norte-americana, como explico num outro livro que deverá sair logo após esta segunda edição.[4]

Mas, de outro lado, ele é também o resultado de uma política deliberadamente conduzida pelos movimentos de esquerda, interessados em reduzir toda a vida intelectual brasileira a um coro unanimista de reclamações. O rebaixamento das artes, da filosofia e até de algumas ciências à condição de megafones da propaganda revolucionária, que os melhores pensadores marxistas sempre rejeitaram como uma tentação aviltante, tornou-se a praxe estabelecida, que ninguém ousa contestar, menos pelo temor de um revide explícito do que pela certeza absoluta de que seus ouvintes já não poderão compreendê-lo, tão longe estão de imaginar que a cultura possa ter outros e mais elevados fins. Pois o dogma da cultura militante não se adotou como opção consciente, vencedora no confronto com outras concepções possíveis, mas se infiltrou sorrateiramente, como um pressuposto implícito, aproveitando-se da ignorância das novas gerações, que ao despertarem para o mundo da "cultura" já a encontram identificada à propaganda ideológica como se este fosse o seu estado natural e seu destino eterno. O pior é que essa propaganda já não transmite sequer idéias ou símbolos de uma doutrina revolucionária, mas limita-se a repetir, de maneira rasa, literal e direta, as reivindicações do dia: fora Collor, morte aos corruptos, viva o Betinho, queremos sexo. Todos os anões do Congresso, reunidos

---

verdadeiro rigor filosófico, ao contrário, é pura coragem interior, não se curva senão ante a evidência e não tem nada de temor reverencial adolescente (ou colonial) ante os prestígios acadêmicos do dia. Com a ascensão da intelectualidade paulista ao primeiro plano da vida nacional, a inversão uspiana do rigor, que devota ao prestígio o culto que nega à verdade, ameaça contaminar o pensamento brasileiro como um todo, selando a morte da inteligência nesta parte do mundo. Nada vai aqui contra Gianotti, homem capaz e correto, que só peca por admirar quem não merece — ou por fingir admirar, talvez, já que o floreio bajulatório involuntariamente irônico é outra marca registrada do estilo uspiano, onde faz as vezes de polidez acadêmica.

4   *O Imbecil Coletivo. Atualidades Inculturais Brasileiras*, São Paulo. É Realizações, 2006, que forma, com o presente volume e com *O Jardim das Aflições*, uma trilogia dedicada ao estudo da patologia cultural brasileira na presente fase da nossa História.

e somados, não fizeram tanto mal a este país quanto essa prostituição completa da inteligência às ambições políticas imediatas e às paixões mais corriqueiras. O dinheiro perdido pode-se ganhar novamente; o espírito, quando se vai, não volta mais. Os templos abandonados — é a experiência universal — tornam-se para sempre covis de feiticeiros e bandidos.

Pelo efeito conjugado da decadência norte-americana e da ação local tendente a amassar e fundir todos os cérebros deste país na fôrma sem rosto do "intelectual coletivo" gramsciano, o fato é que a inteligência nacional está indo ladeira abaixo, ao mesmo tempo que sobe, das ruas e dos campos, o rumor sombrio de uma revolução em marcha.

Sim, o Brasil está inequivocamente entrando numa atmosfera de revolução comunista. A imbecilização não é senão um sintoma: o temporário obscurecimento da luz, mencionado pelo *I Ching*, no qual se geram, entre as dobras da noite, os monstros que irão povoar as visões de um despertar temível.

Esses monstros já não são tão pequenos para que um olhar atento não consiga enxergá-los e espantar-se com a velocidade com que vão crescendo no ventre da inconsciência nacional.

O próprio unanimismo da intelectualidade é um dos sinais. Mas outro, aparentemente contraditório, é a proliferação das reivindicações gremiais, do espírito de divisão, na hora em que o país mais necessita do sacrifício das partes pelo bem do todo. Em cada classe, em cada região, em cada sindicato, em cada empresa, em cada família, em cada alma, o que se nota é um sentimento agudo e exasperado dos próprios direitos e o completo amortecimento do senso do dever. É o predomínio desastroso do reivindicar e protestar sobre o criar e oferecer. Quanto menos cumpre sua obrigação, mais cada um se crê no direito de acusar o próximo. O governo reprime os aumentos abusivos de preços enquanto protege as elevadas taxas de juros e alimenta a gigantesca tênia petrolífera que pela majoração periódica dos combustíveis vai marcando o compasso para a subida generalizada do custo de vida. O pai de família vocifera contra a corrupção dos políticos enquanto solicita a um contador que "dê uns retoques" na sua declaração de rendimentos para tornar mais verossímil a mentira que o isentará do imposto. As empresas censuram o governo no instante mesmo em que elevam os preços de seus produtos e serviços acima de tudo quanto permite a lei e recomenda a decência. A esquerda clama contra as oligarquias enquanto promove greves de funcionários públicos voltadas diretamente contra os direitos da população. Os intelectuais e artistas clamam contra as injustiças enquanto levam vida de príncipes às expensas do erário público. A imprensa acusa, delata, aponta homens e instituições ao opróbrio, enquanto discretamente, em congressos de profissionais longe dos olhos da multidão, confessa sua própria falta de decoro, ética e dignidade. Os sem-terra exibem diante das câmeras sua pobreza comovente enquanto gastam fortunas em operações paramilitares que o próprio exército não teria verba para sustentar. O discurso do unanimismo, como o coro entusiástico das torcidas durante a Copa, não é senão um *Ersatz*, a ostentação de uma unidade postiça que encobre a luta covarde e sem regras de todos contra todos. O egoísmo, a inconsciência, a maldade ganham terreno a cada nova investida da "campanha pela Ética".

Quia bono? A quem aproveita o crime? Quem lucra com a dilaceração da alma nacional num confronto vil de todos os egoísmos e de todas as inconsciências? As pesquisas de opinião respondem que, de todos os brasileiros, o único que não tem medo de ser feliz já ganhou quarenta por cento das intenções de voto para a Presidência.

Poderia ser uma coincidência, o efeito acidental de uma conjuntura. Mas, recuando em busca das suas raízes, vemos que esse efeito foi longamente desejado e meticulosamente preparado pela mais hábil e talentosa geração de intelectuais ativistas já nascida neste país. A geração que, derrotada pela ditadura militar, abandonou os sonhos de chegar ao poder pela luta armada e se dedicou, em silêncio, a uma revisão de sua estratégia, à luz dos ensinamentos de Antonio Gramsci. O que Gramsci lhe ensinou foi abdicar do radicalismo ostensivo para ampliar a margem de alianças; foi renunciar à pureza dos esquemas ideológicos aparentes para ganhar eficiência na arte de aliciar e comprometer; foi recuar do combate político direto para a zona mais profunda da sabotagem psicológica. Com Gramsci ela aprendeu que uma revolução da mente deve preceder a revolução política; que é mais importante solapar as bases morais e culturais do adversário do que ganhar votos; que um colaborador inconsciente e sem compromisso, de cujas ações o partido jamais possa ser responsabilizado, vale mais que mil militantes inscritos. Com Gramsci ela aprendeu uma estratégia tão vasta em sua abrangência, tão sutil em seus meios, tão complexa e quase contraditória em sua pluralidade simultânea de canais de ação, que é praticamente impossível o adversário mesmo não acabar colaborando com ela de algum modo, tecendo, como profetizou Lênin, a corda com que será enforcado.

A conversão formal ou informal, consciente ou inconsciente da intelectualidade de esquerda à estratégia de Antonio Gramsci é o fato mais relevante da História nacional dos últimos trinta anos. É nela, bem como em outros fatores concordantes e convergentes, que se deve buscar a origem das mutações psicológicas de alcance incalculável que lançam o Brasil numa situação claramente pré-revolucionária, que até o momento só dois observadores, além do autor deste livro, souberam assinalar, e aliás mui discretamente.[5]

A expectativa, a esperança, o anseio da revolução são tão velhos, tão arraigados na alma da *intelligentzia* nacional[6] que, mesmo diante do fracasso mundial do socialismo, ela não terá

---

5   Um deles foi Fernando Henrique Cardoso (*Jornal do Brasil*, 11 de novembro de 1993), um homem que conhece as esquerdas muito bem e que, por isto mesmo, sentiu o dever de se opor a elas no momento em que mais poderia ajudá-las. O outro foi Oliveiros da Silva Ferreira, que vem explorando o assunto em vários artigos publicados em *O Estado de São Paulo*.

6   O mito da "Revolução Brasileira" é um componente ativo do *pathos* esquerdista desde a década de 30. "Fadado a um grande destino, o Brasil seria a terceira grande revolução neste século. A primeira, a União Soviética, segunda a República Popular da China, e a terceira, a República Democrática Popular do Brasil" (Luís Mir, *A Revolução Impossível*, São Paulo: Best Seller, 1994, p. 10).

forças para resistir à tentação de fazê-la, agora que a conjuntura local, pela primeira vez na nossa História, lhe oferece os meios de chegar ao poder. O Brasil, de fato, tem um descompasso crônico em relação ao tempo da História universal. O reconhecimento mundial da debacle do comunismo ecoou neste país — paradoxalmente, segundo a lógica humana, mas coerentemente, segundo a linha constante da História nacional — como um toque de esperança: chegou a nossa vez de conquistar aquilo que já ninguém mais quer.

Durante algum tempo, nutri a insensata esperança de que o PT expeliria de si o veneno gramsciano e se transformaria no grande partido socialista, ou trabalhista, de que o Brasil precisa para compensar, na defesa do interesse dos pequenos, o avanço neoliberal aparentemente irreversível no mundo, e propiciar, pelo sadio jogo de forças, o movimento regular e harmônico da rotatividade do poder que é a pulsação normal do organismo democrático. Movido por essa ilusão, votei em Lula para presidente. Hoje não votaria nele nem para vereador em São Bernardo. É que, pela sucessão de acontecimentos desde a campanha do *impeachment*, o PT mostrou sua vocação, para mim surpreendente, de partido manipulador e golpista, capaz de conduzir o país às vias fraudulentas da "revolução passiva" gramsciana, usando para isso dos meios mais covardes e ilícitos — a espionagem política, a chantagem psicológica, a prostituição da cultura, o boicote a medidas saneadoras, a agitação histérica que apela aos sentimentos mais baixos da população —, e de adornar esse pacote de sujidades com um discurso moralista que recende a sacristia. O partido que, para sabotar um candidato, promove no lançamento da nova moeda algo como uma "greve preventiva" sob a espantosa alegação de uma *possibilidade teórica* de danos salariais futuros, sabendo que essa greve resultará em aumento do preço dos combustíveis e em retomada do ciclo inflacionário, dando facticiamente confirmação retroativa aos danos anunciados, é que, francamente, decidiu imitar o capeta: produz o mal para no ventre dele gerar o ódio, e no ventre do ódio o discurso de acusação. A greve dos petroleiros não deu certo, mas ela é o mais puro exemplo do que o povo denomina "apelação": o recurso extremo usado para fins levianos.

Se o PT faz isso, é porque perdeu sua confiança no futuro majestoso a que o destinava a nossa democracia em formação, e, excitado por indícios de um sucesso momentâneo que teme não repetir-se nunca mais, resolveu apostar tudo no jogo voraz e suicida do *it's now or never*. Não quer mais apenas eleger o presidente, governar bem, submeter seu desempenho ao julgamento popular daqui a cinco anos, fazer História no ritmo lento e natural dos moinhos dos deuses: quer tomar o poder, fazer a revolução, desmantelar os adversários, expelir da política para sempre os que poderiam derrotá-lo em eleições futuras. Nos termos da poesia de Murillo Mendes, preferiu, às "lentas sandálias do bem, as velozes hélices do mal". A mitologia gramsciana, diagnosticando pomposamente a "transição para um novo bloco histórico", deu uma legitimação verbal a essas pretensões, e eis que o Brasil, mal tendo ingressado no caminho da democracia, já se apressa a abandoná-lo pelo atalho da revolução. Aonde ele leva, é algo que o mundo sabe, mas que importa o conhecimento do mundo às hordas de menores-de-idade que a lisonja esquerdista consagrada em norma constitucional transformou na parcela decisiva do eleitorado, dando-lhes poder antes de lhes dar educação? O que importa é aproveitar o momento, levar a todo preço o Lulalá, carregado nos ombros de garotos raivosos, insolentes e analfabetos, e, antes que o "consenso passivo" da população tenha tempo de avaliar o que se passa, atrelar irreversivelmente o país ao carro-bomba que se precipita, morro abaixo, no rumo da revolução.

A geração que atingiu a idade adulta no momento em que a ditadura fechava as portas de acesso à vida política está agora com cinqüenta anos. Ao longo dos últimos trinta ela esperou, sonhou, planejou, desejou, cobiçou entre lágrimas de rancor impotente, e, sobretudo, leu muito Antonio Gramsci. Que a revolução socialista já tenha mostrado ao mundo sua verdadeira face, que ela já tenha provado cabalmente que *não vale a pena*, isto pouco interessa. A geração dos guerrilheiros fará o que longamente se preparou para fazer. Pouco importa que, pelo relógio do mundo, tenha passado a hora. O fim da festa é, para o catador de lixo, o sinal de que a *sua* festa está para começar.

Por essas razões é que este livro, aparentemente constituído de pedaços inconexos, começa a mostrar, pela força dos acontecimentos externos, a unidade que, no plano literário, o autor não teve o tempo ou o engenho de lhe dar. Sob a aparência comprometedora de uma salada histórica que mistura Lênin, o *I Ching*, Max Weber, Freud e o Comando Vermelho, ele aponta, pela ordem e, segundo creio, com lógica, o sintoma e a causa da doença da intelectualidade brasileira: a origem ao menos parcial da nossa vulnerabilidade à falsa mensagem do sr. Capra está nas idéias de Antonio Gramsci, transformadas em prática pela geração de intelectuais esquerdistas que, na Ilha Grande, fez ofício de parteira do Comando Vermelho, e que agora dá o tom da vida mental neste país. Se, na primeira edição, não consegui dar desse fenômeno uma exposição seguida e coesa, tendo de adotar, em vez disso, um enfoque prismático e desnivelado, antes sugerindo em fragmentos do que declarando por extenso o sentido do conjunto, não foi por nenhuma intenção profunda: foi por autêntica incapacidade de fazer de outro modo. Mas não creio, por isto, merecer censura: afinal, aqui foi dito aos trancos e pedaços o que ninguém mais disse de maneira alguma. Do primeiro a esboçar a unidade de um quadro confuso, não se exige que seja completo; e do primeiro a anunciar um perigo terrível, não se exige que fale claro e ordenado segundo o bom estilo. Esbaforido e gaguejante, semilouco e abstruso, ele afinal presta um serviço de emergência. Como diz um provérbio árabe: "Não repares em quem sou, mas recebe o que te dou".[7]

Rio de Janeiro, junho de 1994.

---

[7] Nada retirei nem alterei do original nesta segunda edição, apenas corrigi erros de grafia, acrescentei este Prefácio, uns quantos adendos, e adendos de adendos, e muitas notas de rodapé. O leitor austero achará que são excrescências complicatórias, mas gosto delas justamente por isso, porque eliminam do texto a enganosa linearidade e lhe dão aquele aspecto vivente de rede nervosa, de trama vegetal, que faz com que, precisamente, um texto seja um texto.

Nota prévia [da 1ª edição]

A "Nova Era" da qual Fritjof Capra se tornou festejado porta-voz e a "Revolução Cultural" de Antonio Gramsci têm algo em comum: ambas pretendem introduzir no espírito humano modificações vastas, profundas e irreversíveis. Ambas convocam à ruptura com o passado, e propõem à humanidade um novo céu e uma nova terra.

A primeira vem alcançando imensa repercussão nos círculos científicos e empresariais brasileiros. A segunda, sem fazer tanto barulho, exerce há três décadas uma influência marcante no curso da vida política e cultural neste país.

Nenhuma das duas foi jamais submetida ao mais breve exame crítico. Aceitas por mera simpatia à primeira vista, penetram, propagam-se, ganham poder sobre as consciências, tornam-se forças decisivas na condução da vida de milhões de pessoas que jamais ouviram falar delas, mas que padecem os efeitos do seu impacto cultural.

Para os adeptos e propagadores conscientes das duas novas propostas, nada mais reconfortante do que a passividade atônita com que o público letrado brasileiro tudo recebe, tudo admite, tudo absorve e copia, com aquele talento para a imitação maquinal que compensa a falta de verdadeira inteligência.

Mas a Revolução Cultural de Gramsci e o movimento da Nova Era não são simples modas, que se possam adotar e abandonar à vontade, com a despreocupação de quem troca de cuecas. São propostas de imensa envergadura, que, uma vez aceitas, mesmo implicitamente, mesmo informalmente, mesmo hipoteticamente, levam a conseqüências de alcance incalculável. Essas conseqüências não pouparão, decerto, aqueles que tiverem aderido às suas causas por mero passatempo, sem uma clara consciência das responsabilidades em jogo. Não pouparão ninguém que esteja dentro do seu raio de ação. E todos estamos.

É, portanto, uma leviandade suicida absorver idéias como essas sem um exame crítico preliminar. É este exame que inauguro no presente livreto, ciente de que, ao fazê-lo, me adianto a uma lerda opinião pública que nem de longe levantou ainda as questões aqui discutidas, mas nem por isto o faço com menor atraso em relação às exigências de minha própria consciência, que me cobra este trabalho desde que pela primeira vez falei em público sobre estes assuntos, em 1987. Falador prolífico, sou tardo em escrever, motivo pelo qual meu sentimento de urgência se transforma, às vezes, em sentimento de culpa. A urgência, no caso, era a de esclarecer a ligação entre aquelas duas correntes de pensamento; ligação que, uma vez percebida, revela a inconsistência de ambas, e de ambas nos liberta. Por não percebê-la, a mente brasileira gira hoje em falso em torno do eixo balizado por esses dois pólos. Pelo número de adeptos e pelos postos estratégicos que alguns destes ocupam na sociedade, Capra e Gramsci dominam as duas correntes mentais mais atuantes deste país. O fato de que jamais tenham sido confrontados e de que a idéia mesma de confrontá-los soe estranha mostra apenas que o país não tem clara consciência das alternativas em que se debate, e que a vida mental nele tende a cindir-se em devoções estanques a deuses que se desconhecem mutuamente e que mutuamente se hostilizam nas trevas, como espadachins vendados. Trata-se portanto, aqui, de esclarecer um conflito subconsciente, em que o

Nota prévia [da 1ª edição]

destino de um país se decide entre as sombras de um sonho. Brasil sonâmbulo: para que sustentas com dinheiro e lisonjas os teus intelectuais, se não é para te revelarem a ti mesmo, para te dizerem o que se passa contigo para além da superfície do noticiário?

Os três capítulos que compõem este livro reproduzem, tanto quanto possível, o conteúdo de aulas e conferências que dei sobre os respectivos temas, seja no *Seminário Permanente de Filosofia e Humanidades*, que dirijo no Instituto de Artes Liberais,[8] seja fora dele. O capítulo sobre Fritjof Capra foi redigido e distribuído aos meus alunos em setembro de 1993, quando se anunciava a próxima vinda ao Brasil do guru da Nova Era, promovida pela Universidade Holística de Brasília. Os outros, seus naturais complementos como se verá, foram escritos agora em fevereiro de 1994, especialmente para este livro. Os apêndices ilustram detalhes que importam à compreensão do capítulo II.

Reconheço que, ao menos quanto a Gramsci, o exame que apresento é superficial, que haveria ainda milhares de coisas a dizer que aqui não foram ditas.[9] Mas alguém tem de começar, e, na falta de melhores cérebros que se dispusessem a digerir o assunto, a coisa sobrou para mim. Quanto a Capra, ele está longe de representar a "Nova Era" na sua totalidade; embora alguns vejam nele uma síntese desse movimento, ele constitui apenas um seu sintoma, ainda que agudo e sonante. Que ninguém me censure, portanto, a incompletude destas análises: minhas amostras levam o rótulo de amostras, com altiva modéstia. Também não tem, este trabalho, a menor pretensão de interferir no curso das

---

8 Atualmente, o *Seminário* é mantido online, com aulas semanais trasmitidas pelo site www.seminariodefilosofia.org [NE].

9 Limito-me ao estudo da estratégia e, mais brevemente, de alguns aspectos da gnoseologia, sem tocar por exemplo na sociologia gramsciana, que mereceria — não por seu valor científico, mas pela força persuasiva da sua alucinante falsificação da realidade — um exame mais atento. Prometo fazê-lo no livro *O antropólogo antropófago: A miséria das Ciências Sociais*, a sair no ano que vem. Também não pude senão mencionar de longe as concepções estéticas e literárias de Gramsci, tão influentes até hoje, mas sobre as quais não pretendo escrever nada nunca, se os deuses me pouparem esse castigo. [nota da 2ª edição].

coisas. Seu único anseio é fornecer, aos que tenham um sincero desejo de compreender os acontecimentos, alguns meios de fazê-lo. Ora, os que têm esse desejo são sempre poucos, no meio do vozerio, entusiástico ou ameaçador, dos que crêem já saber tudo e que não aguardam senão com impaciência que o mundo se curve às suas propostas. Àqueles poucos e silenciosos, portanto, é dedicado este trabalho. Dentre eles, destaco o romancista Herberto Sales, que leu em versão datilográfica o primeiro capítulo e lhe fez referências generosas, que agradeço comovido. Tanto mais comovido porque, se eu tivesse de escolher um guru estilístico, ele não seria outro, na presente fase da nossa literatura, senão Herberto Sales. Destaco ainda o valente grupo de alunos e ouvintes que há anos acompanha meu trabalho com um interesse que me reconforta.

Rio de Janeiro, fevereiro de 1994.

I
Lana caprina, ou:
a sabedoria do sr. Capra

No começo de novembro[10] estará chegando ao Brasil o sr. Fritjof Capra, chamado pela Universidade Holística de Brasília para falar sobre a Nova Era que ele anuncia no seu livro *O ponto de mutação*.

A voz do sr. Capra não clamará no deserto. A Universidade Holística já reuniu uma congregação de intelectuais locais para dizer-lhe amém. Entre os acólitos contam-se Frei Betto e o ex-reitor da UnB, Christovam Buarque. O sr. Capra, já se vê, não é um escritor como os outros: é um líder, uma autoridade espiritual e, admitamos logo, um profeta.

O conteúdo de suas profecias é bastante conhecido: *O ponto de mutação* anda até nas mãos das crianças, que o debatem nas escolas. Mas, segundo a Universidade Holística, isso não basta. O sr. Capra tem de ser ouvido por todos os amigos da espécie humana. Pois, embora homônimo de um cineasta que se celebrizou pelas fitas de *happy end*, ele não garante nenhum final feliz para o nosso século a não ser que a humanidade siga os seus conselhos. Passemos portanto a examiná-los, com a urgência requerida pelo caso.

Segundo o sr. Capra, a história do mundo chegou a um *turning point*, e deve mudar o seu curso. As três principais mudanças em

---
10 Escrito em setembro de 1993.

pauta são as seguintes: primeira, a humanidade deixará de consumir combustíveis fósseis (petróleo); segunda, o patriarcado vai acabar; terceira, o paradigma científico vigente será substituído por um outro, de base holística. Estas três coisas já estão acontecendo, mas, assegura o sr. Capra, urge apressar a sua consumação, que marcará o advento da Nova Era.

Ao falar do primeiro item, o sr. Capra é muito breve, como convém aos profetas. Em vez das longas análises que concede aos dois outros temas, ele emite apenas esta profecia: "Esta década será marcada pela transição da era do combustível fóssil para uma nova era solar, acionada por energia renovável oriunda do Sol". Tendo o livro sido publicado em 1981, a década a que o sr. Capra se refere terminou em 1990. Bem, nem todos os profetas dão sorte. Mas, se a mencionada profecia vier a cumprir-se com quatro, cinco ou nove décadas de atraso, o sr. Capra sempre poderá alegar que São João Evangelista também não foi muito preciso quanto à data do Apocalipse.

Como muitos outros profetas, o sr. Capra pode queixar-se de ser um incompreendido. Eu, por exemplo, não compreendo como é que o mundo poderia ter saltado direto da era dos combustíveis fósseis para a da energia solar, sem passar pela era atômica, na qual já estávamos na data de emissão da profecia e na qual continuamos a estar após a data do seu vencimento. Mas talvez a intuição profética do sr. Capra opere à velocidade da luz, saltando etapas. Eis aí aliás um bom motivo para saltarmos logo para o item seguinte, já que o primeiro capítulo da mutação não teve um *happy end.*

O patriarcado consiste, segundo o sr. Capra, num complexo de três elementos: primeiro, o domínio do homem sobre a mulher; segundo, o domínio da espécie humana sobre a natureza; terceiro, o predomínio da razão (faculdade masculina) sobre a intuição (feminina). São três lados de um fenômeno único, que o sr. Capra resume como a supremacia do *yang* sobre o *yin.*

É, como se vê, um tipo especial de patriarcado, bem diferente daquele que podemos encontrar nos livros de história e sociologia. Pois estes nos dizem que o aumento do poderio técnico sobre a natureza abalou o regime de propriedade rural no qual se esteava o patriarcado; e que o advento do Império da Razão, trazido no bojo da Revolução Francesa, promoveu logo em seguida a igualdade de direitos para homens e mulheres, desferindo o golpe de misericórdia na autoridade do *pater familias.* Em suma, que das três coisas que o sr. Capra reúne sob o rótulo comum de "patriarcado", duas são precisamente o contrário. Mas os profetas não ligam para as ciências profanas. *Non enim cogitationes meae cogitationes vestrae*, já nos tinha advertido a Bíblia. O sr. Capra, com efeito, não pensa como nós.

Mas há algo nele que pelo menos alguns de nós podem compreender perfeitamente bem. Sendo a lógica, no seu entender, uma expressão do abominável patriarcado cujo fim ele deseja, ele não poderia mesmo obedecê-la sem tornar-se, *ipso facto*, ilógico. É então por uma simples questão de lógica que ele opta por ser ilógico. Qualquer bebê de colo pode compreender isto. O difícil é compreendê-lo quando já não se é um bebê de colo. Para ser admitido nos céus da Nova Era, o leitor deve portanto tornar-se como os pequeninos.

Eis aqui um caso típico. Para livrar-se do odioso patriarcado, diz o nosso profeta, a humanidade deveria inspirar-se no exemplo da civilização chinesa, cuja concepção da natureza humana, expressa sobretudo no *I Ching*, "está em flagrante contraste com a da nossa cultura patriarcal". Buscando agora munição antipatriarcal nas páginas do *I Ching*, o leitor encontrará, no hexagrama 37, as seguintes recomendações: "A esposa deve ser sempre guiada pela vontade do senhor da casa, isto é, pelo pai, pelo marido ou pelo filho adulto. O lugar dela é dentro de casa". A vida que Betty Friedan pediu a Deus. Aliás, segundo informa Marcel Granet no clássico *La Civilisation Chinoise*,[11] o feudalismo chinês, período no qual se redigiu o grosso dos comentários do *I Ching*, "repousa sobre o reconhecimento

---

11 Livro I, cap. III.

do predomínio masculino". A China a que o sr. Capra se refere não deve portanto ser a mesma que os geógrafos profanos conhecem por esse nome.

O que o sr. Capra não pode mesmo é ser acusado de facciosismo sinófilo. Pois, se ele rejeita a lógica ocidental, nem por isto se curva às exigências da oriental. Segundo ele, o *yang* representa a razão analítica, que divide, e o *yin* a intuição, que unifica. Os chineses, nada entendendo destas sutilezas, representaram o divisivo *yang* por um traço contínuo, e o unificante *yin* por um traço dividido ao meio. Na Nova Era, as edições do *I Ching* virão devidamente retificadas.

***

Enquanto essas edições não aparecem, o sr. Capra já vai tratando, por conta, de introduzir no pensamento chinês umas modificações mais sérias. Ele diz, por exemplo, que na civilização chinesa o homem não procura dominar a natureza, mas integrar-se nela. Novamente, a sabedoria chinesa do sr. Capra pegou a China desprevenida: um chinês nem mesmo entenderia essa frase, pela razão de que na sua língua não há uma palavra que signifique "natureza" no sentido ocidental, isto é, ao mesmo tempo o mundo visível e a ordem invisível que o governa (ambiguidade que as línguas modernas herdaram do grego *physis*). O chinês é nisto, com o perdão da palavra, mais "analítico": tem um termo para designar o mundo visível (*khien*), e um outro (*khouen*) para a ordem invisível. Para compensar, o mundo visível ou *khien* abrange, "sinteticamente", tanto a natureza terrestre quanto a sociedade humana. O sr. Capra não diz a qual das duas "naturezas" o homem deveria integrar-se, mas é claro que ninguém poderia integrar-se em ambas simultaneamente e de um mesmo modo. Os antigos chineses já haviam advertido isto, e resolveram a contradição propondo uma dualidade de atitudes para fazer face a esse duplo aspecto da natureza: o sábio, diz o *I Ching*, deve *buscar ativamente* integrar-se na ordem invisível ou *khouen* (chamada por isto "perfeição ativa") e *contornar suavemente* as exigências da natureza terrestre (*khien* ou "perfeição passiva"). Dito de outro modo: integrar-se *na* ordem celeste, integrando em si e superando dialeticamente *a* ordem terrestre (e portanto absorvendo-a, por sua vez, na ordem celeste). O "celeste" e o "terrestre", nesse sentido, identificam-se respectivamente ao *dharma* e ao *kharma* da tradição hindu. O homem não se "integra" no *kharma*, porém "absorve-o" na medida em que se integra no *dharma*: livra-se do peso da terra na medida em que atende ao apelo celeste. Exatamente no mesmo sentido diz o cristianismo que o homem vence a necessidade natural na medida em que segue as vias da Providência. Não é bem o que diz o sr. Capra.

O ideograma *Wang* ("o Imperador") esclarece isso melhor. Ele constitui, por si, um compêndio de cosmologia chinesa. Compõe-se de três traços horizontais — o Céu em cima, a Terra em baixo, o homem no meio, formando a tríade *Tien-Ti-Jen*, "Céu-Terra-Homem" — cortados por um traço vertical, o *Tao*, que se traduz um tanto convencionalmente por *lei* ou *harmonia*. A harmonia consiste em que cada coisa fique no lugar que lhe cabe, de modo que, por trás de todas as mudanças por que passa o mundo, a ordem suprema não seja violada (embora neste mundo de aparências ela o seja necessariamente, pois, como dizia o evangelho, "é necessário que haja escândalo"; mas no fim todas as desordens parciais são reintegradas na ordem total).

Na tríade chinesa, o homem é chamado "filho do Céu e da Terra". Sendo o Céu o pai, já se vê, pelo hexagrama 37, quem é que manda. O homem governa portanto o mundo visível, mas não o faz por arbítrio próprio, e sim em nome de uma ordem transcendente. *Tien* não significa o "céu" no sentido material, mas a "perfeição celeste" ou mais propriamente a "vontade do Céu"; em inglês, que o sr. Capra compreende melhor, não o *sky*, mas o *heaven*, morada do Espírito Santo. O sábio ou imperador aprende no invisível a vontade do Céu e a põe em execução na Terra. Na sala central do seu palácio, ele cumpre diariamente ritos de um complexo simbolismo geométrico e numerológico (similar ao do pitagorismo), mediante os quais os arquétipos celestes "descem" (exatamente como na missa "desce" o Espírito Santo) para trazer à Terra a ordem e a harmonia. Se o imperador pára de fazer os ritos, a Terra — sociedade e natureza ao mesmo tempo — entra em convulsão, espalham-se por toda parte a ignorância, o medo, a violência, a fome, a peste.

Não era só a interrupção dos ritos que podia trazer a catástrofe. "O imperador — escreve Max Weber em *A Religião da China* — tinha de se conduzir segundo os imperativos éticos das escrituras clássicas. O monarca chinês permanecia basicamente um pontífice. Ele tinha de provar que era mesmo "filho do Céu", o regente aprovado pelos céus, para que o povo, sob o seu governo, vivesse bem. Se os rios arrebentavam os diques ou a chuva não caía apesar de todos os ritos, isto era prova — acreditava-se expressamente — de que o imperador não tinha as qualidades carismáticas requeridas pelo Céu".

O homem governa a Terra, mas em nome do Céu. Governa como *pontifex*, "construtor de pontes", que liga a Terra ao Céu através do Reto Caminho, o *Tao*. Caso se afaste do Reto Caminho, ele perde de vista a Vontade do Céu e já não pode governar senão em nome próprio, como tirano e usurpador. Aí, num choque de retorno, ele perde seu poder e cai sob o domínio das potências terrestres que antes comandava. Como a Terra designa ao mesmo tempo a natureza física e a sociedade humana, o choque pode significar tanto uma revolução civil ou golpe militar, quanto uma tempestade ou terremoto. O monarca que cai representa, por analogia, qualquer homem que, rompendo com a ordem celeste, perca de vista o seu destino ideal e caia presa das paixões abissais. É a situação descrita no hexagrama 36, *O Obscurecimento da Luz*: "Primeiro ele subiu ao Céu, depois mergulhou nas profundezas da Terra". O comentário tradicional, resumido por Richard Wilhelm, é o seguinte: "O poder da treva subiu a um posto tão alto que pode trazer dano a quantos estejam do lado do bem e da luz. Mas no fim o poder das trevas perece por sua própria obscuridade".

Já se vê que o conselho do sr. Capra, afetado pela ambiguidade da palavra "natureza", pode ter dois significados opostos: com "integrar-se", pretende ele que obedeçamos à Vontade do Céu ou que mergulhemos nas profundezas da Terra? As falas dos profetas, quando obscuras, merecem interpretação. Interpretemos.

Na versão do sr. Capra, o Céu não é mencionado. A tríade fica reduzida a uma dualidade: de um lado o homem, de outro a natureza visível. O macho e a fêmea. O *yang* e o *yin*. A cada um só resta a alternativa de subjugar o outro ou "integrar-se" nele. O homem da civilização industrial optou pela primeira hipótese. O sr. Capra advoga a segunda.

É verdade o que diz o sr. Capra, que a civilização ocidental optou por dominar a natureza. Mas é verdade também que, desde o Renascimento ao menos, ela apagou (exatamente como o sr. Capra) toda referência a uma ordem transcendente (*Tien*) e deixou o homem sozinho, face a face com a natureza material. Desde então a história das idéias ocidentais tem sido marcada por uma oscilação pendular entre as ideologias da dominação e as ideologias da submissão: classicismo e romantismo, revolução e reação, historicismo e naturalismo, cientificismo e misticismo, ativismo prometéico e evasionismo quietista, marxismo e existencialismo e, *last not least*, revolução cultural socialista *versus* ideologia da Nova Era.

É neste último par de opostos que reside a chave para a compreensão do nosso profeta. O sr. Capra acerta na mosca (nenhum profeta pode realizar o prodígio de errar sempre) ao dizer que sua visão da história cultural é uma alternativa ao marxismo. Para Marx e seus epígonos, a natureza nada mais é que o cenário da história humana. Está aí não como um *ser*, uma substância ontológica que o homem deva contemplar e respeitar em sua constituição objetiva, mas como matéria-prima a ser apropriada e transformada livremente segundo o arbítrio humano. A natureza, em Marx, é *ancilla industriae*. O marxismo prossegue a tradição de prometeanismo revolucionário do Renascimento, potencializando-a mediante a submissão completa e explícita da natureza à história. A isto é que se opõe a ideologia da Nova Era.

Mas ela não se opõe somente ao marxismo em geral, e sim a uma forma específica de marxismo, que também, como ela, quis operar uma "mutação", um giro de cento e oitenta graus na orientação do pensamento humano. O fundador desta corrente marxista foi o ideólogo italiano Antonio Gramsci (1891-1937). O gramscismo propõe uma revolução cultural que subverta todos os critérios admitidos do conhecimento, instaurando em seu lugar um "historicismo absoluto", no qual a função da inteligência e da cultura já não seja captar a verdade objetiva, mas apenas "expressar" a crença coletiva, colocada assim fora e acima da distinção entre verdadeiro e falso. É a total submissão do "objeto" (natureza) ao "sujeito" (humanidade histórica). Neste novo paradigma, a ênfase da atividade científica já não cai no conhecimento objetivo da natureza (descrição exata da sua aparência visível e investigação dos princípios invisíveis que a governam), mas sim na sua transformação pela técnica e pela indústria, a isto correspondendo, na esfera das idéias, uma espécie de "revolução permanente" de todas as categorias de pensamento a suceder-se numa aceleração vertiginosa do devir histórico.

Contra isto levantou-se a ideologia da Nova Era. Ao prometeanismo revolucionário, ela opõe a "integração na natureza"; à aceleração da história, o equilíbrio "ecológico" da Nova Ordem Mundial; e, ao historicismo absoluto, o "fim da História". Capra é inconcebível sem Fukuyama. Capra é a casca da qual Fukuyama é o miolo. Todo o vistoso "esoterismo" da Nova Era, com suas iniciações secretas, seus gurus, seus magos e seus ritos, não constitui senão o *exoterismo*, o aparato religioso externo e social, cujo interior, cujo "sentido esotérico" é na verdade uma ciência bem moderna, racional e profana: o planejamento estratégico.

Fukuyama está para Capra exatamente como o esoterismo está para o exoterismo, como a Igreja de João está para a Igreja de Pedro. Mas ambas, cada qual no seu plano e pelos meios que lhe são próprios, combatem um mesmo adversário.

O gramscismo fez muito sucesso nos anos 60, inspirando a febre passageira do eurocomunismo e revigorando algumas esperanças comunistas. No Brasil, conquistou praticamente a esquerda inteira, e o PT é um partido essencialmente gramsciano, admita-o ou não explicitamente. Mas o intento de renovação foi fraco e tardio: o comunismo acabou sendo derrotado pela ascensão mundial da ideologia da Nova Era. Afinal, a mistura de física quântica e simbolismos orientais, experiências psíquicas e sexo livre, promessas de paz e miragens de auto-realização, que essa ideologia oferece, é infinitamente mais sedutora do que qualquer "historicismo absoluto". O Brasil, sempre atrasado, é um dos poucos lugares do mundo onde o combate ainda prossegue, com um feroz núcleo de remanescentes gramscianos oferecendo uma quixotesca resistência local aos exércitos triunfantes da Nova Era.

Mas, se o prometeanismo revolucionário representou o máximo da *hybris*, da avidez dominadora do homem sobre a natureza, a ideologia da Nova Era não é outra coisa senão o choque de retorno anunciado pelo *I Ching*.

A Nova Era venceu a revolução gramsciana. Mas foi uma teratomaquia: um combate de monstros. Diriam os chineses que foi um combate suicida: que, sem a obediência comum a *Tien*, a luta entre *Ti* e *Jen* só pode terminar pelo "obscurecimento da Luz". A vitória da Nova Era prenuncia, portanto, o próximo passo do ciclo das mutações: a humanidade vai cair da autoglorificação prometéica na passividade inerme; vai integrar-se, "ecologicamente", no equilíbrio da Nova Ordem Mundial, onde o conformismo coletivo será assegurado mediante a justa repartição dos meios de satisfazer as paixões mais baixas e mediante um arremedo de religiosidade externa que dará a essas paixões uma aura lisonjeira de "profundidade" e "autoconhecimento".

Pode-se interpretar isso psicanaliticamente. Gérard Mendel, no seu livro *La Révolte contre le Père*, uma das mais importantes contribuições das últimas décadas à psicanálise freudiana, diz que, ao longo da história, o impulso do homem para superar o pai tem sido, como pretendia Freud, um dos mais potentes motores do progresso. Mas este impulso, prossegue ele, pode tomar duas direções: ou o homem supera e vence o *pai carnal* integrando-se na ordem racional representada pelo *pai ideal*, ou manda logo às urtigas a ordem ideal para, livre de toda trava moral, matar o pai carnal e tomar posse da mãe. Esta última alternativa é a revolta prometéica, a que se segue, num choque de retorno, a queda no irracional, a regressão uterina, a "integração" do homem nas trevas. Daí, segundo Mendel, a importância antropológica, e também psicoterapêutica, das palavras da mais célebre oração cristã: a "revolta contra o pai" só é saudável e frutífera quando empreendida "em nome do Pai".

Trocando em miúdos chineses: o pai carnal é, para o homem adulto (*Jen*), nada mais que um aspecto de *Ti*, a Terra. É preciso submetê-lo à ordem celeste, *Tien* ou pai ideal, para aí então poder assumir, sem usurpação nem violência, o governo justo e harmônico da Terra. Sempre achei que o dr. Freud tinha algo de chinês.

Nos termos de Mendel, a revolução gramsciana é a revolta destrutiva contra o pai, e a ideologia da Nova Era, com seus apelos à fusão das consciências individuais numa sopa de miragens holísticas, é a regressão uterina que se lhe segue. Todas as regressões uterinas anunciam-se pela exacerbação da fantasia, pelo chamamento hipnótico das esperanças insensatas, pela antevisão mediúnica de delícias sem fim. Todas terminam na escravidão abjeta, na passividade inerme ante a agressão das forças abissais, no obscurecimento da luz.

I. Lana caprina, ou: A sabedoria do sr. Capra

É inevitável que haja escândalo. A Nova Era venceu o prometeanismo gramsciano, e sai de baixo: lá vem o hexagrama 36. *There's coming a shitstorm* e Fritjof Capra é o seu profeta. Mas, no fim, que por certo não se anuncia breve, o poder das trevas sucumbirá por força da sua própria obscuridade.

***

Findo o período das trevas, assegura o *Apocalipse*, a loucura dos novos profetas que arrastaram a humanidade ao erro será exibida à plena luz do dia, e todos a verão.

Como a Nova Era ainda mal começou, não está na hora de fazer o *show* completo. Por enquanto, tudo o que se pode fazer é dar umas amostras preliminares, que atestem, para as gerações vindouras, a realidade de um passado que lhes parecerá inverossímil. Como disse o sábio Richard Hooker ante o avanço do besteirol puritano no séc. XVI, quando tudo isto tiver passado "a posteridade poderá saber que não deixamos, pelo silêncio negligente, as coisas se passarem como num sonho".

De amostras está cheio o livro do sr. Capra. Porém manda a justiça que as selecionemos segundo a gradação de importância que lhes dá o próprio autor. Devemos portanto agora examinar o terceiro "ponto de mutação": a revolução do paradigma científico.

Neste terreno o sr. Capra não parece estar em desvantagem como no mundo chinês, que só conheceu por fontes de terceira mão. Doutor em física pela Universidade de Viena, ele não pode ignorar a história da ciência ocidental como ignora a civilização chinesa. Mas quem disse que não pode? Aos profetas tudo é possível.

Segundo o sr. Capra, "o paradigma ora em transformação *dominou a nossa cultura por muitas centenas de anos*"; ele "compreende certo número de idéias" que "incluem a crença de que o método científico é a única abordagem válida do conhecimento; a concepção do universo como um sistema mecânico composto de unidades materiais elementares; a concepção da vida em sociedade como uma luta competitiva pela existência". Essas concepções têm os nomes respectivos de: cientificismo, mecanicismo e social-darwinismo ou darwinismo social. Repito: segundo o sr. Capra, elas *dominam a nossa cultura há muitas centenas de anos.* Isto sugere duas perguntas. Primeira: que é "dominar uma cultura?" Segunda: quanto é "muitas centenas"?

Dizemos que uma certa idéia domina uma cultura quando: primeiro, ela é acreditada pelos intelectuais mais importantes de todos os setores; segundo, as idéias concorrentes ou já não são férteis, quer dizer, já não se expressam em obras poderosas e significativas, ou então desapareceram completamente de cena. Assim, por exemplo, o cristianismo dominou a Idade Média porque, de um lado, todos os filósofos e os homens cultos em geral eram cristãos e, de outro lado, as correntes de pensamento não-cristãs, ainda que persistindo vivas pelo menos no subconsciente coletivo, não produziram nesse período nenhuma obra digna de atenção. Dizemos que o marxismo dominou a cultura soviética até a década de 60 porque nesse período nenhum intelectual eminente que residisse na URSS produziu nenhuma idéia que saísse dos quadros conceptuais do marxismo e porque as subcorrentes não-marxistas (exceto no exílio e em línguas ocidentais) nada criaram de significativo.

Nesse sentido estrito, nenhuma das três idéias que compõem o "paradigma dominante" jamais foi dominante em parte alguma do Ocidente. Desde que surgiram, as três foram incessantemente contestadas, combatidas, refutadas, rejeitadas no todo ou em parte por intelectuais importantes. De outro lado, correntes abertamente hostis a essas idéias continuaram férteis o bastante para produzir algumas das obras mais significativas de seus respectivos campos.

Vejamos o mecanicismo. Como pode ser "dominante" uma corrente que, desde seu nascimento, é rejeitada por gigantes

I. Lana caprina, ou: A sabedoria do sr. Capra

como Leibniz, Schelling, Vico, Schopenhauer, Driesch, Fechner, Boutroux, Nietzsche, Weber, Kierkegaard e muitos outros, até ser derrubada no século XX pela teoria de Planck?

A rigor, o mecanicismo só foi dominante, e mesmo assim com reservas, numa certa parte do mundo, que para o sr. Capra é "o" mundo: os círculos universitários anglo-saxônicos. Que esse mundinho tradicionalmente presunçoso e seguro de si se abra hoje para novas idéias, que se disponha até a ouvir os orientais sem a tradicional incompreensão colonialista, é sem dúvida uma novidade auspiciosa. Mas uma novidade local. Não há meio mais seguro de tornar provinciano um povo do que persuadi-lo de que ele é o centro do mundo. Desde esse momento ele declara inexistente ou irrelevante tudo o que saia do seu campo de visão, e quando finalmente descobre algo que todo o resto do mundo já sabia dá a esta descoberta uns ares de revolução mundial.

Quanto ao cientificismo, tanto se escreveu contra ele, que é perfeitamente errado considerá-lo dominante mesmo num sentido atenuado do termo. Para isto seria preciso excluir do primeiro plano da cultura o marxismo, a psicanálise, a fenomenologia, o neotomismo e o existencialismo, pelo menos. Aqui, novamente, o sr. Capra toma como mundialmente dominante a opinião de um grupo restrito.

O darwinismo social, por sua vez, só chegou a ser dominante, como crença pública, num único país do mundo: nos Estados Unidos. Nunca entrou, por exemplo, nos países comunistas e no mundo islâmico, que, somados, completam quase dois terços da humanidade. Nos países católicos, foi recebido desde logo como perversa anomalia, suscitando reações de escândalo de que dão testemunho as encíclicas sociais dos papas desde pelo menos Leão XIII.

Mas, além de afirmar que essas três crenças "dominam o mundo", o sr. Capra ainda assegura que o fazem "há muitas centenas de anos". Contemos a história.

A mais velha das três é o mecanicismo. Prenunciado por Descartes, foi formulado plenamente por Isaac Newton (*Princípios matemáticos da Filosofia Natural*, 1687), mas só se tornou conhecido da intelectualidade européia em geral a partir de 1738, quando Voltaire divulgou em linguagem compreensível aos leigos os *Elementos da filosofia de Newton*.

Não foi só fazendo divulgação científica que Voltaire promoveu a vitória de Newton. Ele tanto difamou com ironias grosseiras o principal opositor de Newton, G. W. von Leibniz, que os contemporâneos cessaram de prestar atenção ao que este dizia. Leibniz caiu em quase descrédito até o século XX, quando a redescoberta de suas idéias ocasionou avanços prodigiosos nas matemáticas, na lógica e nas ciências da natureza. A nova física de Planck e Heisenberg veio a dar razão a Leibniz contra Newton, substituindo o mecanicismo pelo probabilismo. Esta substituição poderia ter ocorrido dois séculos antes, se Voltaire, imperador da opinião pública no século XVIII, não tivesse tecido em torno de Leibniz uma teia de preconceitos duradouros. Por ironia, Voltaire entrou para a História como o inimigo de todo atraso e de todo preconceito.

Mas, de qualquer modo, a opinião de Voltaire não se propagou com a velocidade do raio. Demorou duas ou três décadas, pelo menos, para tornar-se crença dominante na Europa inteira. Por volta de 1780, o mecanicismo gozava de um prestígio invejável, e pode ser dito, desde então, dominante, se dominante não quer dizer unanimemente aceito, ou aceito sem reservas. Não se pode esquecer a oposição que lhe moveram o vitalismo de Goethe e Driesch, o contingencialismo de Boutroux e muitas outras correntes, até o golpe de misericórdia desferido por Planck e Heisenberg.

No momento em que o sr. Capra redigia *O ponto de mutação*, o mecanicismo estava completando portanto *dois* séculos de glória incessantemente contestada e de periclitante reinado sobre as facções majoritárias do mundo acadêmico. Isto é bem diferente de *um domínio de muitos séculos sobre todo o mundo*.

Quanto ao darwinismo social, é um filhote do darwinismo biológico e não poderia ter nascido antes do pai. O princípio da "subsistência do mais apto" surgiu como uma teoria biológica e só depois, aos poucos, foi se transformando num argumento ideológico para a legitimação retroativa da concorrência capitalista.

A origem das espécies é de 1859. Herbert Spencer, nos seus *Primeiros princípios*, publicados em 1862, amplia o alcance das idéias evolucionistas, fazendo delas um princípio sociológico. Paralelamente, ocultistas como Allan Kardec e Madame Blavatski pegam no ar o termo "evolução" e lhe dão um sentido místico, ou misticóide: já não são somente os anfíbios que evoluem em répteis, e estes em mamíferos; são as almas desencarnadas que, no outro mundo, evoluem em "seres de luz", subindo na escala cósmica enquanto os macacos descem das árvores. Revestida de mil e um sentidos, a palavra "evolução" se dissemina, e surgem os debates públicos, que atraem a atenção dos intelectuais para o potencial político-ideológico do evolucionismo. Os debates alcançam um auge de sucesso com a conferência de Thomas Henry Huxley, "Evolução e ética", em 1892. Aí está aberto o caminho para a legitimação do capitalismo liberal pela "sobrevivência do mais apto". O resto vem com os livros de Gustav Ratzenhofer (*Natureza e finalidade da Política*, 1893) e William G. Sumner (*Folkways*, 1906), que fundamentam explicitamente a noção de "evolução social", dando aos ideólogos capitalistas o precioso *slogan* de que necessitavam. O darwinismo social tem, portanto, pouco mais ou pouco menos do que um século. Tinha menos no momento em que o sr. Capra redigia o seu livro.

Finalmente, o cientificismo. A rejeição formal e completa, em nome da ciência, de qualquer explicação filosófica ou teológica da realidade, foi proposta, pela primeira vez, por Augusto Comte (*Discurso sobre o espírito positivo*, 1844). Mas Comte ainda reservava para a filosofia a tarefa de síntese e ordenação do conhecimento científico, e Comte só foi aceito sem contestação num único lugar deste planeta: no Brasil! (Em 1914, o positivista Alain atribuía a guerra mundial ao fato de nenhum outro país do globo haver seguido o exemplo do Brasil, que adotara na bandeira republicana o positivismo como doutrina oficial do Estado: *Ordem e Progresso* é, com efeito, o resumo da filosofia comtiana). Uma declaração formal e taxativa de cientificismo, com a completa demissão de todas as demais formas de conhecimento como vazias ou insignificantes, só veio mesmo em 1934, com Rudolf Carnap, em *Sintaxe lógica da linguagem*. Mas Carnap não era nenhum Voltaire, para contar com a imediata aprovação de um vasto público. A maioria dos filósofos do século XX rejeitou categoricamente o cientificismo, que só exerceu domínio sobre grupos determinados, principalmente no mundo anglo-saxão. Contemporaneamente à declaração de Carnap, o matemático e filósofo Edmund Husserl, fundador da *fenomenologia* — escola que iria gerar Heidegger, Scheler, Hartmann, Sartre e Merleau-Ponty, entre outros —, fazia na Universidade de Praga as célebres conferências depois reunidas no livro *A crise das ciências européias*, em que negava o cientificismo pela base e desde dentro: as ciências físicas, dizia ele, haviam perdido o seu essencial fundamento científico e já não serviam como modelo de conhecimento da realidade. Husserl era e é pelo menos tão influente quanto Carnap, embora não tanto no mundo anglo-saxônico que é o limite do horizonte mental do sr. Capra.

Em suma, o cientificismo, que "domina a nossa cultura desde há séculos", está completando sessenta primaveras neste ano de 1994. Mas, para cúmulo, sua primeira manifestação ostensiva já foi posterior, de três décadas, à publicação dos primeiros trabalhos de Max Planck, cujo indeterminismo viria a ser uma das bases do "novo paradigma" cujo advento o sr. Capra veio agora nos anunciar. O novo paradigma é um tanto anterior ao velho.

***

I. Lana caprina, ou: A sabedoria do sr. Capra

O sr. Capra, como se vê, pouco entende dos assuntos em que exerce, para um público multitudinário, uma autoridade profética. Ele prima pela carência de informação elementar sobre a cosmologia chinesa, na qual diz basear sua visão da história cultural, bem como sobre a história cultural mesma, que ele procura, mediante generalizações grosseiras, e escandalosas alterações da cronologia, encaixar à força num modelo preconcebido.

Não questiono, aqui, a validade da proposta holística em geral. Reservo-me o direito de fazê-lo num outro trabalho. Apenas creio que ela deve ter defensores um pouco mais qualificados do que o sr. Capra.

Meu propósito foi dar um testemunho sobre um fato de relevância mundial, que acontece bem diante das nossas barbas, e de cuja realidade as gerações vindouras terão o direito de duvidar. Pois, para a razão e o bom-senso, *não é verossímil* que milhares de intelectuais de prestígio, em seu juízo perfeito, possam aceitar e aplaudir como um marco da história do pensamento uma obra como *O ponto de mutação*, que não atende sequer aos requisitos mínimos de informação fidedigna, de autenticidade das fontes e de rigor conceptual que se exigem de uma tese de mestrado. Dentre tantos outros defeitos que um livro pode ter, este padece do único que não se pode tolerar em hipótese alguma: a *ignoratio elenchi*, a ignorância completa do assunto. O sr. Capra define o seu livro, pretensiosamente, como *um novo modelo de história cultural* baseado nas *concepções chinesas* do homem e do universo. Mas ele não estudou o suficiente nem a história cultural nem as concepções chinesas para que sua opinião a respeito possa ter qualquer importância objetiva, fora do seu círculo de convivência pessoal. O conteúdo de sua propalada sabedoria do assunto é pura *lana caprina*.

O sucesso deste livro só pode ser explicado por um único fator, inteiramente alheio ao seu valor intrínseco: sua oportunidade. Ele diz o que as pessoas desejam ouvir, no momento em que o desejam. Ele oferece uma perspectiva sedutora a um público que pede para ser seduzido.

Que esse público não inclua somente populares incultos, mas intelectuais de projeção, e que estes se prontifiquem a aceitar as promessas do autor sem pedir-lhe sequer as credenciais científicas que se exigem de um estudante de faculdade, é realmente um acontecimento inverossímil.

Mas, dizia Aristóteles, não é mesmo verossímil que tudo sempre se passe de maneira verossímil. O inverossímil aconteceu. Ele atesta que, após séculos de fúria iconoclástica voltada contra todas as crenças do passado e os valores de outras civilizações, a opinião letrada do Ocidente enfim se cansou de ser arrogante; mas, em vez de um arrependimento sincero, está encenando diante de nós um arremedo de conversão, que deixa à mostra todas as marcas do fingimento histeriforme. Estonteada pela visão súbita de suas próprias culpas, ela abjurou de toda precaução crítica como quem repele um vício do passado; e entregou-se, inerme e crédula, ao culto do primeiro ídolo que lhe ofereceu uma promessa de alívio. Ela pensa ou finge pensar que esse ídolo é o seu salvador. Na verdade é a sua nêmesis.

Mas não é só ela que está enganada. O profeta do engano também se engana: ele imagina trazer ao mundo a sabedoria, quando traz o obscurecimento e a confusão. Imagina trazer uma nova profecia, quando traz o cumprimento de uma velha maldição.

***

Mas não posso encerrar estas considerações sobre o profeta da Nova Era sem fazer, também eu, uma profecia: nos séculos vindouros, quando puderem encarar o nosso tempo com alguma objetividade, o fenômeno da Nova Era será considerado um escândalo que depõe contra a inteligência humana.

É forçoso que venha o escândalo. Nada se pode fazer para

evitá-lo. Nem mesmo vou sugerir, como Jesus, que se amarre ao seu portador uma pesada pedra, para jogá-lo ao fundo do mar. Pois, como diria o hexagrama 36, ele já está no fundo. Tudo o que posso fazer é deixar à posteridade, se vier a ter notícia destas páginas, um testemunho pessoal destes tempos obscuros: nem todos, nem todos acreditaram no falso profeta.[12]

ADENDO

Há no livro do sr. Capra uma infinidade de erros e contra-sensos, além dos mencionados. Apontá-los e corrigi-los todos requereria um volumoso comentário: uma lei constitutiva da mente humana concede ao erro o privilégio de poder ser mais breve do que a sua retificação.

Mas vale a pena dar mais algumas amostras, para que o leitor veja quanto um erro nas premissas pode ser fértil em consequências:

1. O sr. Capra combate o uso da energia nuclear, mesmo para fins pacíficos, mas, ao mesmo tempo, faz da física moderna um dos fundamentos do "novo paradigma" que propõe. Ele separa a física enquanto modalidade de conhecimento teórico e a nature-

---

[12] Tendo enviado a Frei Betto uma cópia deste capítulo antes de sua publicação em livro, recebi dele uma resposta em duas linhas, que é um singular documento psicológico. Ela diz: "Apesar das suas reservas, o evento [NE: recepção ao sr. Capra] foi bom para quem lá esteve". Deve ter sido mesmo um barato, imagino eu. Mas o ilustre frade não me compreendeu. Longe de mim depreciar o evento em si — a organização do programa, o serviço de som ou o tempero dos salgadinhos. O que eu disse que não presta é a filosofia do sr. Capra, subentendendo que celebrá-la num congresso de intelectuais é jogar dinheiro fora; e quanto melhor o evento, mais lamentável o desperdício. Caso, porém, o missivista tenha pretendido alegar a qualidade do evento como um argumento em favor do sr. Capra, isto seria o mesmo que dizer que o preço da vela prova a qualidade do defunto. Além disso, que opinião se poderia ter de um pensador que argumentasse em favor de uma filosofia mediante a alegação de que ela lhe dá a oportunidade de freqüentar lugares agradáveis? [Nota da 2ª edição]

za das suas aplicações práticas, como se uma não decorresse da outra necessariamente.

O sr. Capra é, nisto, perfeitamente inconsequente com o método holístico que advoga. Para o holismo, toda separação estanque entre uma idéia e suas manifestações práticas é nada mais que um abstratismo. Holisticamente falando, o efeito benéfico ou destrutivo dos engenhos nucleares *tem* de estar arraigado no próprio *modus cognoscendi* que os produziu. Se o sr. Capra enxerga ligações até mesmo entre o mecanicismo e a estrutura da família patriarcal, como pode ser cego para as relações, muito mais próximas, entre o conteúdo teorético de uma ciência e suas aplicações práticas?

2. Em nossa sociedade, afirma o sr. Capra, o trabalho entrópico (trabalho repetitivo que não deixa efeitos duradouros, como por exemplo cozinhar um jantar que será consumido imediatamente) é desvalorizado, e por isto é atribuído às mulheres e aos grupos minoritários. Esta desvalorização, diz ele, é típica da sociedade industrial.

Nesse caso, deveríamos considerar sociedades industriais as tribos do Alto Xingu, as cidades-Estado da antiga Grécia, a sociedade européia da Idade Média. Não existiu jamais uma sociedade em que os serviços entrópicos fossem mais valorizados que os outros.

Mas, segundo o sr. Capra, existiu. Ele dá como exemplos os mosteiros de monges budistas e cristãos, onde cozinhar é uma honra e limpar as privadas um mérito invejável. Será preciso explicar ao sr. Capra que uma ordem monástica não constitui uma "sociedade", mas uma comunidade minoritária que pressupõe em torno a existência de uma sociedade a cujos valores possa se opor? Se, dentro de um mosteiro, o trabalho entrópico tem valor, é justamente porque não o tem na sociedade maior em torno. Os trabalhos humildes adquirem ali dentro um valor espiritual e disciplinar justamente na medida em que no "mundo" têm pouco prestígio social ou valor econômico. A desvalorização social do trabalho entrópico não é característica da sociedade industrial, mas da sociedade humana em geral; inversamente, a sua valorização espiritual é um traço distintivo das minorias espiritualizadas envolvidas em alguma forma de rejeição religiosa do "mundo".

3. "Tradições como o vedanta, a ioga, o budismo e o taoismo assemelham-se muito mais a psicoterapias do que a filosofias ou religiões", diz o sr. Capra. Bem, se há um traço característico do Ocidente moderno, que o distingue radicalmente das tradições orientais, é justamente o desenvolvimento, nele, de uma psicologia como ciência independente de qualquer referência mística ou religiosa; e, em decorrência, o esforço para dar uma explicação "psicológica" de todos os fenômenos espirituais. Ao englobar as tradições espirituais do Oriente no conceito de "psicoterapia", o sr. Capra mostra a típica incapacidade do cientificista moderno para apreender tudo quanto há nelas de puramente *metafísico* e não-psicológico.

Dizer, ademais, que essas tradições "se baseiam no conhecimento empírico e, assim, apresentam mais afinidades com a ciência moderna" é pretender enquadrar à força as idéias orientais numa moldura ocidental e moderna, para torná-las aceitáveis ao provincianismo acadêmico. Acontece que, nessa operação, tudo que há nelas de essencialmente oriental se perde por completo. O vedanta, por exemplo, afirma categoricamente que *a experiência não pode trazer conhecimento espiritual de espécie alguma*, e esta afirmação é mesmo um dos pontos basilares da doutrina, que o sr. Capra parece desconhecer completamente: toda experiência é ação, e a ação, não sendo o contrário da ignorância, não pode destruí-la.[13]

Por esse exemplo, vê-se que o sr. Capra está muito mais preso a esquemas mentais de acadêmico ocidental médio do que desejaria deixar transparecer. Alguém mais próximo da perspectiva

---
13 Cf. *Brihadaranyaka Upanishad*, livro 10.

oriental jamais procuraria explicar as doutrinas sapienciais da Índia ou da China à luz da moderna psicologia ocidental, mas, ao contrário, emitiria sobre esta, em nome delas, um julgamento bastante severo.[14]

4. Após realçar o sentido holístico das concepções fisiológicas de Hipócrates, o sr. Capra insinua que esse sentido desapareceu completamente da medicina ocidental e agora temos de ir buscá-lo na tradição chinesa: "A noção chinesa do corpo como um sistema indivisível de componentes inter-relacionados está muito mais próxima da moderna abordagem sistêmica do que do modelo cartesiano clássico". Se o sr. Capra não seguisse o hábito ocidental moderno de saltar direto do pensamento grego para o Renascimento, teria reparado que a mesma concepção holística domina todo o pensamento médico e biológico do Ocidente medieval, com destaque para Sto. Alberto Magno e Roger Bacon. Na verdade, as concepções chinesas são muito mais parecidas com as da Idade Média que com a "moderna abordagem sistêmica".

5. Ao explicar a psicoterapia de Arthur Janov, o sr. Capra diz que, segundo este eminente psiquiatra, as neuroses são tipos simbólicos de comportamento que "representam as defesas da pessoa contra a excessiva dor associada a traumas de infância". Quem quer que tenha lido Janov sabe que, na teoria deste, a etiologia das neuroses *não é de ordem traumática*, mas reside na frustração constante e habitual de necessidades básicas, frustração que às vezes não é sequer percebida no nível consciente. Um trauma, na psicopatologia de Janov, nada mais é que um fator superveniente. A minimização da importância etiológica dos traumas é justamente o que singulariza o sistema de Janov. Embora conhecendo o assunto de orelhada, o sr. Capra não se inibe de opinar a respeito com ar professoral: "O sistema conceitual de Janov não é suficientemente amplo para explicar

---

14 V., por exemplo, Wolfgang Smith, *Cosmos and Transcendence*, New York, 1970, ou Titus Burckhardt, *Scienza Moderna e Sagezza Tradizionale*, Torino, 1968.

experiências transpessoais...". O que certamente não é amplo é o conhecimento que o sr. Capra tem do sistema de Janov.

SUGESTÕES DE LEITURA

Além das obras citadas no texto, o leitor poderá consultar com proveito as seguintes:

1. Quem aprecie o holismo e deseje ter uma informação séria a respeito, sem aberrações caprinas e com mais ensinamento valioso, leia o livro de Joël de Rosnay, *Le Macroscope: Vers une Vision Globale* (Paris, Le Seuil, 1975). O prof. de Rosnay ensinou no MIT e trabalha no Instituto Pasteur de Paris. É interessante ler também as obras de Edgar Morin, que foi aliás quem lançou a expressão "novo paradigma". Ver, especialmente *La Méthode*, em dois tomos (I, *La Nature de la Nature*, Paris, Le Seuil, 1977; II, *La Vie de la Vie*, id., 1980).

2. O *I Ching* tem três traduções ocidentais famosas: a de James Legge (versão brasileira de E. Peixoto de Souza e Maria Judith Martins, São Paulo, Hemus, 1972), a de Richard Wilhelm (versão inglesa de Cary F. Baynes, London, Routledge and Kegan Paul, 1951, várias reedições; versão brasileira de Lya Luft e Alayde Mutzembecher, São Paulo, Nova Acrópole), e a de P. L. F. Philastre, *Le Yi King. Livre des Changements de la Dynastie des Tsheou*. Annales du Musée Guimet, t. huitième, 2 vol. (Paris, Adrien Maisonneuve, 1975). Um estudo sério do assunto requer o exame das três. A de Wilhelm é mais didática e fácil de consultar. Legge enfatiza muito as ligações estruturais entre as partes e abre para um estudo mais aprofundado. Das três a de Philastre é de longe a mais interessante, pois é a única que transcreve integralmente e pela ordem as glosas das dez "gerações" de comentaristas chineses.

3. Sobre os símbolos da tradição chinesa, ver o livro clássico de René Guénon, *La Grande Triade* (Paris, Gallimard, 1957). Convém recorrer ainda, quanto aos ideogramas, à obra monumental do Pe. L. Wieger, *Chinese Characters: Their Origin, Eti-*

mology, History, Classification and Signification. A Thorough Study from Chinese Documents, traduzido por L. Davrout, s. j. (New York, Dover, 1965; a primeira edição é de 1915).

4. Sobre o pensamento chinês é ainda indispensável, a quem deseje aprofundar o assunto, estudar: quanto às concepções cosmológicas, Marcel Granet, *La Pensée Chinoise* (Paris, Albin Michel, 1968) e *La Réligion des Chinois* (Paris, Payot, 1980). Quanto às instituições e ao governo, Granet, *La Civilisation Chinoise* (Paris, La Renaissance du Livre, 1929). Sobre a moral, o direito e as classes sociais, Max Weber, *The Religion of China*, traduzido por H. H. Gerth e C. Wright Mills (New York, The Free Press, 1951).

5. Um "novo modelo de história cultural" baseado em concepções orientais é algo que já estava realizado pelo menos desde 1945, em *Le Règne de la Quantité et les Signes des Temps*, de René Guénon (Paris, Gallimard). Um monumento de sabedoria.

6. Sobre a disputa Leibniz-Newton pode-se ler: José Ortega y Gasset, *La Idea de Principio en Leibniz y la Evolución de la Teoría Deductiva* (em *Obras Completas*, t. 8, Madrid, Alianza, 1983); Paul Hazard, *La Crise de la Conscience Européenne: 1660-1715* (Paris, Gallimard, 1961); Edwin A. Burtt, *As bases metafísicas da ciência moderna*, traduzido por José Viegas Filho e Orlando Araújo Henriques (Brasília, UnB, 1983).

II
STO. ANTONIO GRAMSCI
E A SALVAÇÃO DO BRASIL

Quem deseje reduzir a um quadro coerente o aglomerado caótico de elementos que se agitam na cena brasileira tem de começar a desenhá-lo tomando como centro um personagem que nunca esteve aqui, do qual a maioria dos brasileiros nunca ouviu falar, e que ademais está morto há mais de meio século, mas que, desde o reino das sombras, dirige em segredo os acontecimentos nesta parte do mundo.

Refiro-me ao ideólogo italiano Antonio Gramsci. Tendo-se tornado praxe entre as esquerdas jamais pronunciar o nome de Gramsci sem acrescentar-lhe a menção de que se trata de um mártir, apresso-me a declarar que o referido passou onze anos numa prisão fascista, de onde remeteu ao mundo, mediante não sei que artifício, os trinta e três cadernos de notas que hoje constituem, para os fiéis remanescentes do comunismo brasileiro, a bíblia da estratégia revolucionária. Mas não está só nisso a razão da aura beatífica que envolve o personagem. Da estratégia, tal como vista por ele, constituía um capítulo importante a criação de um novo calendário dos santos, que pudesse desbancar, na imaginação popular, o prestígio do hagiológio católico (uma vez que a Igreja, na visão dele, era o maior obstáculo ao avanço do comunismo). O novo panteão seria inteiramente constituído de líderes comunistas célebres, e baseado no critério segundo o qual "Rosa Luxemburgo e Karl Liebknecht são maiores do que os maiores santos de Cristo" — palavras textuais de Gramsci. Os seguidores do novo culto, com inteira lógica, puseram ainda mais alto na escala celeste o instituidor do calendário, motivo pelo qual não se pode falar dele sem a correspondente unção. E eu, temeroso como o sou de todas as coisas do além, não poderia iniciar esta breve exposição do gramscismo brasileiro sem a preliminar invocação ao seu patrono, em quem se depositam, neste momento, muitas esperanças de salvação do Brasil. Digo, pois: *Sancte Antonie Gramsci, ora pro nobis.*

Atendida esta devota formalidade, retorno aos fatos. Gramsci ficou, dizia eu, meditando na cadeia. Mussolini, que o mandara prender, acreditava estar prestando um serviço ao mundo com o silêncio que impunha àquele cérebro que ele julgava temível. Aconteceu que no silêncio do cárcere o referido cérebro não parou de funcionar; apenas começou a germinar idéias que dificilmente lhe teriam ocorrido na agitação das ruas. Homens solitários voltam-se para dentro, tornam-se subjetivistas e profundos. Gramsci transformou a estratégia comunista, de um grosso amálgama de retórica e força bruta, numa delicada orquestração de influências sutis, penetrante como a Programação Neurolingüística e mais perigosa, a longo prazo, do que toda a artilharia do Exército Vermelho. Se Lênin foi o teórico do golpe de Estado, ele foi o estrategista da revolução psicológica que deve preceder e aplainar o caminho para o golpe de Estado.

Gramsci estava particularmente impressionado com a violência das guerras que o governo revolucionário da Rússia tivera de empreender para submeter ao comunismo as massas recalcitrantes, apegadas aos valores e praxes de uma velha cultura. A resistência de um povo arraigadamente religioso e conservador a um regime que se afirmava destinado a beneficiá-lo colocou em risco a estabilidade do governo soviético durante quase uma década, fazendo com que, em reação, a ditadura do proletariado — na intenção de Marx uma breve transição para o paraíso da democracia comunista — ameaçasse eternizar-se, barrando o caminho a toda evolução futura do comunismo, como de fato veio a acontecer.

Para contornar a dificuldade, Gramsci concebeu uma dessas idéias engenhosas, que só ocorrem aos homens de ação quando a impossibilidade de agir os compele a meditações profundas: amestrar o povo para o socialismo *antes* de fazer a revolução. Fazer com que todos pensassem, sentissem e agissem *como* membros de um Estado comunista enquanto ainda vivendo num quadro externo capitalista. Assim, quando viesse o comunismo, as resistências possíveis já estariam neutralizadas de antemão e todo mundo aceitaria o novo regime com a maior naturalidade.

A estratégia de Gramsci virava de cabeça para baixo a fórmula leninista, na qual uma vanguarda organizadíssima e armada tomava o poder pela força, autonomeando-se representante do proletariado e somente depois tratando de persuadir os apatetados proletários de que eles, sem ter disto a menor suspeita, haviam sido os autores da revolução. A revolução gramsciana está para a revolução leninista assim como a sedução está para o estupro.

Para operar essa virada, Gramsci estabeleceu uma distinção, das mais importantes, entre "poder" (ou, como ele prefere chamá-lo, "controle") e "hegemonia". O poder é o domínio sobre o aparelho de Estado, sobre a administração, o exército e a polícia. A hegemonia é o domínio psicológico sobre a multidão. A revolução leninista tomava o poder para estabelecer a hegemonia. O gramscismo conquista a hegemonia para ser levado ao poder suavemente, imperceptivelmente. Não é preciso dizer que o poder, fundado numa hegemonia prévia, é poder absoluto e incontestável: domina ao mesmo tempo pela força bruta e pelo consentimento popular — aquela forma profunda e irrevogável de consentimento que se assenta na força do hábito, principalmente dos automatismos mentais adquiridos que uma longa repetição torna inconscientes e coloca fora do alcance da discussão e da crítica. O governo revolucionário leninista reprime pela violência as idéias adversas. O gramscismo espera chegar ao poder quando já não houver mais idéias adversas no repertório mental do povo.

Que esse negócio é tremendamente maquiavélico, o próprio Gramsci o reconhecia, mas fazendo disto um título de glória, já que Maquiavel era um dos seus gurus. Apenas, ele adaptou Maquiavel às demandas da ideologia socialista, coletivizando o "Príncipe". Em lugar do *condottiere* individual que para chegar ao poder utiliza os expedientes mais repugnantes com a consciência tranqüila de quem está salvando a pátria, Gramsci coloca uma entidade coletiva: a vanguarda revolucionária. O Partido, em suma, é o novo Príncipe. Como o sangue-frio dos homens fica mais frio na medida em que eles se sentem apoiados por uma coletividade, o Novo Príncipe tem uma consciência ainda mais tranqüila que a do antigo. O *condottiere* da Renascença não tinha apoio senão de si mesmo, e nas noites frias do palácio tinha de suportar sozinho os conflitos entre consciência moral e ambição política, encontrando no patriotismo uma solução de compromisso. No Novo Príncipe, a produção de analgésicos da consciência é trabalho de equipe, e nas fileiras de militantes há sempre uma imensa reserva de talentos teóricos que podem ser convocados para produzir justificações do que quer que seja.

Os intelectuais desempenham por isso, na estratégia gramsciana, um papel de relevo. Mas isto não quer dizer que suas idéias sejam importantes em si mesmas, pois, para Gramsci, a única importância de uma idéia reside no reforço que ela dá, ou tira, à marcha da revolução. Gramsci divide os intelectuais em dois tipos: "orgânicos" e "inorgânicos" (ou, como ele prefere chamá-los, "tradicionais"). Estes últimos são uns esquisitões que, baseados em critérios e valores oriundos de outras épocas, e sem uma definida ideologia de classe, emitem idéias que, ignoradas pelas massas, não exercem qualquer influência no processo histórico: acabam indo parar na lata de lixo do esquecimento, a não ser que tenham a esperteza de aderir logo a uma das correntes "orgânicas". Intelectuais orgânicos são aqueles que, com ou sem vinculação formal a movimentos políticos, estão conscientes de sua posição de classe e não gastam uma palavra sequer que não seja para elaborar, esclarecer e defender sua ideologia de classe. Naturalmente, há intelectuais orgânicos "burgueses" e "proletários". Estes são a nata e o cérebro do Novo Príncipe, mas aqueles também têm alguma utilidade para a revolução, pois é através deles que os revolucionários vêm a conhecer a ideologia do inimigo. Gramsci mencionava como protótipos de intelectuais orgânicos burgueses Benedetto Croce e Giovanni Gentile: o liberal anti-fascista e o ministro de Mussolini.

O conceito gramsciano de intelectual funda-se exclusivamente na sociologia das profissões e, por isto, é bem elástico: há lugar nele para os contadores, os meirinhos, os funcionários dos correios, os locutores esportivos e o pessoal do *show business*. Toda essa gente ajuda a elaborar e difundir a ideologia de classe, e, como elaborar e difundir a ideologia de classe é a única tarefa intelectual que existe, uma *vedette* que sacuda as banhas num espetáculo de protesto pode ser bem mais intelectual do que um filósofo, caso se trate de um "inorgânico" como por exemplo o autor destas linhas.

Os intelectuais no sentido elástico são o verdadeiro exército da revolução gramsciana, incumbido de realizar a primeira e mais decisiva etapa da estratégia, que é a conquista da hegemonia, um processo longo, complexo e sutil de mutações psicológicas graduais e crescentes, que a tomada do poder apenas coroa como uma espécie de orgasmo político.

A luta pela hegemonia não se resume apenas ao confronto formal das ideologias, mas penetra num terreno mais profundo, que é o daquilo que Gramsci denomina — dando ao termo uma acepção peculiar — "senso comum". O senso comum é um aglomerado de hábitos e expectativas, inconscientes ou semiconscientes na maior parte, que governam o dia-a-dia das pessoas. Ele se expressa, por exemplo, em frases feitas, em giros verbais típicos, em gestos automáticos, em modos mais ou menos padronizados de reagir às situações. O conjunto dos conteúdos do senso comum identifica-se, para o seu portador humano, com a realidade mesma, embora não constitua de fato senão um recorte bastante parcial e freqüentemente imaginoso. O senso comum não "apreende" a realidade, mas opera nela ao mesmo tempo uma filtragem e uma montagem, segundo padrões que, herdados de culturas ancestrais, permanecem ocultos e inconscientes.

Como o que interessa não é tanto a convicção política expressa, mas o fundo inconsciente do "senso comum", Gramsci está menos interessado em persuasão racional do que em influência psicológica, em agir sobre a imaginação e o sentimento. Daí sua ênfase na educação primária. Seja para formar os futuros "intelectuais orgânicos", seja simplesmente para predispor o povo aos sentimentos desejados, é muito importante que a influência comunista atinja sua clientela quando seus cérebros ainda estão tenros e incapazes de resistência crítica.

O senso comum não coincide com a ideologia de classe, e é precisamente aí que está o problema. Na maior parte das pessoas, o senso comum se compõe de uma sopa de elementos heteróclitos colhidos nas ideologias de várias classes. É por isto que, movido pelo senso comum, um homem pode agir de maneiras que, objetivamente, contrariam o seu interesse de classe, como por exemplo quando um proletário vai à missa. Nesta simples rotina dominical oculta-se uma mistura das mais surpreendentes, onde um valor típico da cultura feudal-aristocrática, reelaborado e posto a serviço da ideologia burguesa, aparece transfundido em hábito proletário, graças ao qual um pobre coitado, acreditando salvar a alma, comete, na realidade, apenas uma grossa sacanagem contra seus companheiros de classe e contra si mesmo.

Aí é que entra a missão providencial dos intelectuais. Sua função é precisamente por um fim a essa suruba ideológica, reformando o senso comum, organizando-o para que se torne coerente com o interesse de classe respectivo, esclarecendo-o e difundindo-o para que fique cada vez mais consciente, para que, cada vez mais, o proletário viva, sinta e pense de acordo com os interesses objetivos da classe proletária e o burguês com os da classe burguesa. A este estado de perfeita coincidência entre idéias e interesses de classe, quando realizado numa dada sociedade e cristalizado em leis que distribuem a cada classe seus direitos e deveres segundo uma clara delimitação dos respectivos campos ideológicos, Gramsci denomina *Estado Ético*. É a escalação final dos dois times, antes de começar o prélio decisivo que levará o Partido ao poder. O público brasileiro tem ouvido este termo, proferido num contexto de combate à corrupção e de restauração da moralidade. Mas ele é um termo técnico da estratégia gramsciana, que designa apenas uma determinada etapa na luta revolucionária — uma etapa, aliás, bastante avançada, na qual a radicalização do conflito de interesses de classe prepara o início da etapa orgástica: a conquista do poder. Que, no caótico senso comum brasileiro, o termo *Estado Ético* tenha ressonâncias moralizadoras inteiramente alheias ao seu verdadeiro intuito, mostra apenas que o público nacional ignora a inspiração diretamente gramsciana do *Movimento pela Ética na Política* e nem de longe suspeita que seu único objetivo é politizar a ética, canalizando as aspirações morais mais ou menos confusas da população de modo a que sirvam a objetivos que nada têm a ver com o que um cidadão comum entende por moral. O *Estado Ético*, na verdade, não apenas é compatível com a total imoralidade, como na verdade a requer, pois consolida e legitima duas morais antagônicas e inconciliáveis, onde a luta de classes é colocada acima do bem e do mal e se torna ela mesma o critério moral supremo. Daí por diante, a mentira, a fraude ou mesmo o homicídio podem se tornar louváveis, quando cometidos em defesa da "nossa" classe, ao passo que a decência, a honestidade, a compaixão podem ter algo de criminoso, caso favoreçam a classe adversária.[15] Que o tradicional discurso moralista da bur-

---

15 Para Karl Marx, aqueles que captam o sentido do movimento da História e representam as "forças progressistas" ficam *ipso facto* liberados de qualquer dever com a

guesia brasileira tenha podido ser assim usado como arma para desferir um golpe mortal na hegemonia burguesa, mostra menos

---

"moral abstrata" da burguesia; seu único dever é acelerar o devir histórico em direção ao socialismo, pouco importando os meios. Baseado nesse princípio, Lênin codificou a moral partidária, onde o único dever é servir ao partido. Esta moral, por sua vez, deu origem ao Direito soviético, que colocava acima dos direitos humanos elementares os deveres para com o Estado revolucionário. A delação de corruptos ou traidores, por exemplo, era na União Soviética uma obrigação básica do cidadão. Mas não é só na teoria que o comunismo é imoral. No Estado socialista, todos são funcionários públicos, e basta isto para que a corrupção se torne institucional. Na União Soviética ninguém conseguia tirar um documento ou consertar uma linha telefônica sem soltar propinas: ao socializar a economia, socializa-se a corrupção. A desonestidade desce das camadas dominantes para corromper todo o povo. O mesmo aconteceu na China, país que ademais se notabilizou por ser o maior distribuidor de tóxicos deste planeta. A justificativa, na época, era que os tóxicos enfraqueceriam a "juventude burguesa" e facilitariam o avanço do socialismo, sendo, portanto, benéficos ao progresso humano. As drogas só se tornaram um problema de escala mundial graças ao comunismo chinês, que, com isto, se tornou culpado de um crime de genocídio pelo qual, até hoje, ninguém teve coragem de acusá-lo.

Ainda segundo a moral comunista, as pessoas profundamente apegadas aos ideais burgueses são doentes incorrigíveis, devendo por isto ser isoladas ou exterminadas. Sessenta milhões de pessoas foram mortas, na União Soviética, em nome da reedificação da cultura e da personalidade. No Camboja, o genocídio foi adotado como procedimento normal e legítimo.

Foram os comunistas que, com base nas descobertas de Pavlov, desenvolveram o sistema de *lavagem cerebral*, para despersonalizar os prisioneiros e levá-los a confessar crimes que não haviam cometido.

Foi também o comunismo que instituiu o sistema de romper sem aviso prévio acordos internacionais, tratados de paz e compromissos comerciais, institucionalizando no mundo o do gangsterismo como norma de conduta diplomática, depois copiado por Hitler. Campos de concentração e de extermínio são também uma invenção comunista imitada pelo nazismo.

O governo comunista da URSS criou o maior sistema de espionagem interna de que se teve notícia na história humana, a KGB, e por meio dela tornou-se o primeiro governo essencialmente policial do mundo.

O comunismo foi ainda o primeiro regime a instituir em escala continental a mentira sistemática como padrão de ensino público, e a falsificação da ciência como meio de controle da opinião.

Que tudo isso possa ser um enorme tecido de coincidências, que não haja nenhuma conexão intrínseca entre todos esses horrores e a ideologia socialista, é somente mais uma mentira propagada por intelectuais ativistas cuja formação marxista os tornou para sempre cínicos, hipócritas e incapazes de qualquer sentimento moral.

A participação intensa de intelectuais marxistas na campanha pela "Ética na Política" é um sinal seguro de que essa campanha não moralizará a política, mas apenas politizará a ética, tornando-a uma serva de objetivos intrinsecamente imorais. Quem viver, verá [nota da 2ª edição].

a esperteza da esquerda gramsciana do que a estupidez paquidérmica da nossa classe dominante. Que, por outro lado, os próprios agentes do gramscismo finjam acreditar no caráter apolítico e puramente higiênico da campanha moralizante — apaziguando assim os temores daqueles que serão suas primeiras vítimas — é nada mais que uma expressão da linguagem dupla, inerente a uma estratégia na qual a camuflagem é tudo. São lições de Antonio Só-a-Cabecinha Gramsci.

É quase impossível que, a esta altura, a expressão "inversão de valores" não ocorra ao leitor. Essa inversão é, de fato, um dos objetivos prioritários da revolução gramsciana, na fase da luta pela hegemonia. Mas Gramsci é, neste ponto, bastante exigente: não basta derrotar a ideologia expressa da burguesia; é preciso extirpar, junto com ela, todos os valores e princípios herdados de civilizações anteriores, que ela de algum modo incorporou e que se encontram hoje no fundo do senso comum. Trata-se enfim de uma gigantesca operação de lavagem cerebral, que deve apagar da mentalidade popular, e sobretudo do fundo inconsciente do senso comum, toda a herança moral e cultural da humanidade, para substituí-la por princípios radicalmente novos, fundados no primado da revolução e no que Gramsci denomina "historicismo absoluto" (mais adiante explico).

Uma operação dessa envergadura transcende infinitamente o plano da mera pregação revolucionária, e abrange mutações psicológicas de imensa profundidade, que não poderiam ser realizadas de improviso nem à plena luz do dia. O combate pela hegemonia requer uma pluralidade de canais de atuação informais e aparentemente desligados de toda política, através dos quais se possa ir injetando imperceptivelmente na mentalidade popular toda uma gama de novos sentimentos, de novas reações, de novas palavras, de novos hábitos, que aos poucos vá mudando de direção o eixo da conduta.

Daí que Gramsci dê relativamente pouca importância à pregação revolucionária aberta, mas enfatize muito o valor da penetração camuflada e sutil. Para a revolução gramsciana vale menos um orador, um agitador notório, do que um jornalista discreto que, sem tomar posição explícita, vá delicadamente mudando o teor do noticiário, ou do que um cineasta cujos filmes, sem qualquer mensagem política ostensiva, afeiçoem o público a um novo imaginário, gerador de um novo senso comum. Jornalistas, cineastas, músicos, psicólogos, pedagogos infantis e conselheiros familiares representam uma tropa de elite do exército gramsciano. Sua atuação informal penetra fundo nas consciências, sem nenhum intuito político declarado, e deixa nelas as marcas de novos sentimentos, de novas reações, de novas atitudes morais que, no momento propício, se integrarão harmoniosamente na hegemonia comunista.[16]

Milhões de pequenas alterações vão assim sendo introduzidas no senso comum, até que o efeito cumulativo se condense numa repentina mutação global (uma aplicação da teoria marxista do "salto qualitativo" que sobrevém ao fim de uma acumulação de mudanças quantitativas). Ao esforço sistemático de produzir esse

---

16 Exemplo característico da mutação da escala moral é a campanha contra a Aids. É mais do que evidente que a liberação sexual favorece a disseminação dessa doença. No entanto, jornalistas e agitadores culturais do mundo todo estão levando as pessoas a crer que o conservadorismo moral, particularmente católico, é o culpado pela difusão da Aids, na medida em que se opõe à distribuição de camisinhas. Fazer de um efeito desastroso da liberação sexual um argumento contra a moral conservadora é um truque sofístico que só ocorreria a mentalidades inteiramente perversas. Os liberacionistas dão com isso um exemplo horrendo de insensibilidade moral, de hipocrisia cínica. Ocultar suas próprias culpas por trás da acusação lançada a um inocente é um dos comportamentos mais baixos que se podem conceber. Por outro lado, do ponto de vista meramente prático, a esperança no poder das camisinhas é uma insensatez, para dizer o mínimo. Junto com ela vem a recusa de enxergar a parcela de razão que têm os religiosos nessa questão. Qual a taxa de Aids entre católicos praticantes, evangélicos, monges budistas, judeus ortodoxos, mussulmanos devotos? É praticamente nula. Uma bela campanha moralista, por desagradável que fosse (e para mim também o seria, pois pessoalmente sou mais pela liberação), faria mais para conter o avanço da Aids do que a distribuição de trilhões de camisinhas. Neste momento da história, qualquer campanha moralista, por boboca que nos pareça, é um empreendimento digno de louvor, uma contribuição à salvação da espécie humana. Se amanhã ou depois a população do Brasil aderir em peso aos Pentecostais, ao Bispo Macedo ou à Renovação Carismática, a Aids estará vencida entre nós. Isto é uma obviedade que só os intelectuais não enxergam [nota da 2ª edição].

efeito cumulativo Gramsci denomina, significativamente, "agressão molecular": a ideologia burguesa não deve ser combatida no campo aberto dos confrontos ideológicos, mas no terreno discreto do senso comum; não pelo avanço maciço, mas pela penetração sutil, milímetro a milímetro, cérebro por cérebro, idéia por idéia, hábito por hábito, reflexo por reflexo.

É claro que a mutação almejada não abrange somente o terreno das convicções políticas, mas visa principalmente às reações espontâneas, aos sentimentos de base, às cadeias de reflexos que determinam inconscientemente a conduta. Condutas sedimentadas no inconsciente humano há séculos ou milênios devem ser desarraigadas, para ceder lugar a uma nova constelação de reações. É importante, por exemplo, varrer do imaginário popular figuras tradicionais de heróis e de santos que expressem determinados ideais, pois essas figuras estão imantadas de uma força motivadora que dirige a conduta dos homens num sentido hostil à proposta gramsciana. Elas devem ser substituídas por um novo panteão de ídolos, no qual, como se viu acima, Karl Liebknecht, Rosa Luxemburgo, Lênin, Stálin e obviamente o próprio Gramsci ocupam os lugares de S. Francisco de Assis, Santa Terezinha do Menino Jesus e *tutti quanti*. Gramsci copiou nisto uma idéia de Augusto Comte, de trocar o calendário dos santos da Igreja por um panteão de heróis revolucionários. Apenas, os ídolos de Comte eram os da Revolução Francesa: Gramsci atualizou a folhinha.

Uma lavagem cerebral de tão vasta escala não poderia, certamente, limitar-se a extirpar da cabeça humana crenças religiosas, imagens, mitos e sentimentos tradicionais: ela deveria também estender-se às grandes concepções filosóficas e científicas. A estas, Gramsci queria destruir pela base, todas de uma vez, para substituí-las por uma nova cosmovisão inspirada no marxismo, ou antes, numa caricatura hipertrófica de marxismo que o próprio Marx rejeitaria com desprezo. Pois Marx considerava-se, sobretudo, o herdeiro de grandes tradições filosóficas como o aristotelismo, e construiu sua filosofia no intuito de torná-la uma ciência, uma descrição objetivamente válida das bases do processo histórico. Para Gramsci, as tradições filosóficas devem ser todas varridas de uma vez, e junto com elas a distinção entre "verdade" e "falsidade". Pois Gramsci não é um marxista puro-sangue. Através de seu mestre Antonio Labriola, ele recebeu uma poderosa influência do pragmatismo, escola para a qual o conceito tradicional da verdade como uma correspondência entre o conteúdo do pensamento e um estado de coisas deve ser abandonado em proveito de uma noção utilitária e meramente operacional. Nesta, "verdade" não é o que corresponde a um estado objetivo, mas o que pode ter aplicação útil e eficaz numa situação dada. Enxertando o pragmatismo no marxismo, Labriola e Gramsci propunham que se jogasse no lixo o conceito de verdade: na nova cosmovisão, toda atividade intelectual não deveria buscar mais o conhecimento objetivo, mas sim a mera "adequação" das idéias a um determinado estado da luta social. A isto Gramsci denominava "historicismo absoluto". Nesta nova cosmovisão, não haveria lugar para a distinção — burguesa, segundo Gramsci — entre verdade e mentira. Uma teoria, por exemplo, não se aceitaria por ser verdadeira, nem se rejeitaria por falsa, mas dela só se exigiria uma única e decisiva coisa: que fosse "expressiva" do seu momento histórico, e principalmente das aspirações da massa revolucionária. Dito de modo mais claro: Gramsci exige que toda atividade cultural e científica se reduza à mera propaganda política, mais ou menos disfarçada.

A "filosofia" de Gramsci resolve-se assim num ceticismo teorético que completa a negação da inteligência pela sua submissão integral a um apelo de ação prática; ação que, realizada, resultará em varrer a inteligência da face da Terra, por supressão das condições que possibilitam o seu exercício: a autonomia da inteligência individual e a fé na busca da verdade. Substituída a primeira pela arregimentação de "intelectuais orgânicos" de carteirinha, e a segunda pela concentração de todas as energias intelectuais no nobre mister da propaganda revolucionária, quê sobrará da aptidão humana para discernir entre verdade e mentira?

Gramsci é, em suma, o profeta da imbecilidade, o guia de hordas de imbecis para quem a verdade é a mentira e a mentira a verdade. Somente um outro imbecil como Mussolini podia considerá-lo "uma inteligência perigosa". O perigo que há nela é o da malícia que obscurece, não o da inteligência que clareia; e a malícia é a contrafação simiesca da inteligência. Mas a reação de Mussolini é significativa. Há nela a típica inveja mórbida do brutamontes de direita pelo intelectual esquerdista, sua sombra junguiana que ele não compreende e que por isto mesmo lhe parece, por suas habilidades vistosas, o protótipo mesmo da inteligência. A atração é mútua, como se vê pelo culto de Nelson Rodrigues entre os esquerdistas que ele achincalhou como ninguém. Entre a grossura direitista e a pseudo-intelectualidade esquerdista, a relação é o amor-ódio de um casamento sadomasoquista. Casamento entre *le genti dolorose / C'hanno perduto il ben dello intelletto... Non ragioniam di lor, ma guarda e passa.*

Para quem quer que pense com a própria cabeça, as teorias de Gramsci não apresentam o menor interesse, tanto quanto não o apresentam as velhas escolas céticas gregas, das quais o gramscismo é uma reedição mal atualizada. A refutação do ceticismo é, como se sabe, o primeiro teste do aprendiz de filósofo. Tal como se refuta o ceticismo — a negação de toda certeza — pela simples afirmação de que a negação também é incerta, o gramscismo igualmente não resiste a um confronto consigo mesmo: tendo negado a veracidade objetiva, ele se reduz a uma "expressão de aspirações". Tendo reduzido toda a cultura à propaganda, ele próprio se desmascara como mera propaganda. Não tem sequer a pretensão de ser verdadeiro: nada pretende provar nem demonstrar; quer apenas seduzir, induzir, conduzir. O tipo de mentalidade que se interessa por pensamentos desse gênero é certamente imune a qualquer preocupação de veracidade, mas é movido por uma ambição insaciável que o faz revolver sem descanso as trevas, numa "ação" estéril, nervosa, destrutiva, da qual promete em vão fazer nascer um mundo. Por uma inevitável e trágica compensação, quanto menos um homem é apto a enxergar o mundo, mais assanhado fica de transformá-lo — de transformá-lo à imagem e semelhança da sua própria escuridão interior.[17]

---

17 Querem um retrato moral de Antonio Gramsci? Podem encontrá-lo numa das fábulas que, da prisão, ele remetia para que fossem lidas à sua filha:
"Enquanto um menino dormia, um rato bebeu o leite que a mãe lhe havia preparado. Quando o menino acordou, pôs-se a chorar porque não encontrou o leite; a mãe, por seu lado, também chora. O rato tem remorsos, bate a cabeça contra a parede, mas finalmente percebe que aquilo de nada serve. Então, corre à cabra para conseguir mais leite. Mas a cabra diz ao rato que só lhe dará leite se tiver capim para comer. Então, o rato vai até o campo, mas o campo é árido e não pode dar capim se não for molhado antes. O rato vai à fonte, mas esta foi destruída pela guerra e a água se perde; é preciso que o pedreiro conserte a fonte. O pedreiro precisa das pedras, que o rato vai buscar numa montanha, mas a montanha está toda desmatada pelos especuladores. O rato conta toda a história e promete que o menino, quando crescer, plantará novas árvores na montanha. E assim a montanha dará as pedras, o pedreiro refará a fonte, a fonte dará a água, o campo dará o capim, a cabra fornecerá o leite e, finalmente, o menino poderá comer e não chorará mais" (Laurana Lajolo, *Antonio Gramsci. Uma Vida*, trad. Carlos Nelson Coutinho, São Paulo, Brasiliense, 1982).
 As fábulas sempre foram, ao longo dos tempos, um depósito de símbolos portadores de um ensinamento espiritual. Por meio delas, a criança tinha o acesso ao conhecimento das possibilidades humanas mais elevadas, e este conhecimento, tanto mais potente porque cristalizado numa linguagem mágica e alusiva, bastava para defender sua alma da total imersão na banalidade esterilizante do meio adulto. Elas representavam, assim, o fio de continuidade do núcleo mais puro da alma humana no meio da agitação alienante da "História".
 Gramsci consegue aqui inverter a função da fábula, transformando-a num meio de ensinar à criança, com realismo literal, o processo de produção capitalista – da matéria-prima à comercialização – e para lhe inocular, de um só golpe, o ódio aos malditos especuladores e a esperança na futura utopia socialista, onde "tudo será mais belo".
 O que Gramsci fez com sua própria filha, por que não o faria com os filhos dos outros? É preciso que a pregação comunista atinja os cérebros enquanto ainda estão tenros e indefesos, e, fechando-lhes o acesso a toda concepção de ordem espiritual, os encerre para sempre no círculo de ferro da mundanidade "histórica" (v. adiante, cap. III).
 Gramsci revela aqui toda a mesquinhez da sua concepção do mundo, onde a economia é não só o motor da História, mas o limite final do horizonte humano.
 Que um tipo desses possa ser objeto de culto sentimentalista entre os militantes, isto mostra que a ideologia comunista traz em seu bojo uma perversão dos sentimentos, uma mutilação da alma humana. É preciso muito *agitprop* para fazer de Gramsci um personagem digno de admiração. Mas entre militantes esquerdistas já vi sujeitos capazes de proferir toda sorte de blasfêmias contra a religião alheia terem tremeliques de emoção religiosa ante o santo nome de Antônio Gramsci. Essa sentimentalidade pseudo-religiosa não é um excesso de zelo: é a essência mesma do gramscismo, que beatifica o mundano para abafar

II. Sto. Antonio Gramsci e a salvação do Brasil

***

Se nos perguntamos, agora, como foi possível que uma filosofia assim grosseira alcançasse no Brasil tão vasta audiência a ponto de inspirar o programa de um partido político, a resposta deve levar em consideração três aspectos: primeiro, a predisposição da intelectualidade brasileira; segundo, as condições do momento; terceiro, a natureza mesma dessa filosofia.

Ao longo da nossa história intelectual, somente três correntes de pensamento lograram exercer uma influência duradoura e profunda sobre as camadas intelectuais brasileiras: o positivismo de Augusto Comte, o neotomismo de Leão XIII, o marxismo. O que há de comum entre elas é que não são propriamente filosofias, mas programas de ação coletiva, destinados a moldar ou remoldar o mundo segundo as aspirações de suas épocas e de seus mentores. O positivismo parte da constatação de que a Revolução Francesa, derrubando as concepções cristãs, deixou sua obra pela metade, na medida em que não pôs no lugar delas uma nova religião; o positivismo constitui esta nova religião, com templo, calendário dos santos, ritual e tudo o mais; e as teorias filosóficas não são senão a sustentação do novo Estado teocrático que Comte pretende fundar. O neotomismo é a reação que, ao novo Estado teocrático, opõe um apelo ao retorno do antigo, devidamente revisto e atualizado. Finalmente, o marxismo é o programa de ação do movimento socialista. Nos três, as idéias, as teorias, não têm um valor intrínseco mas servem apenas como retaguardas psicológicas da ação prática. Os três não querem

---

e perverter o impulso religioso e transformá-lo em devoção partidária. Querem ver no que dá? Narrando a morte de Gramsci, a hagiógrafa Laurana Lajolo (*op. cit.*, p. 148) termina falando dos cadernos "nos quais Antônio Gramsci havia depositado, em sentido laico e historicista, a imortalidade da sua alma, a possibilidade de sobrevivência intelectual na história". Só um gramsciano roxo é incapaz de enxergar o ridículo que há em teologizar a esse ponto a fama literária. Se a idéia valesse, os imortais da Academia já não seriam imortais figuradamente, mas literalmente – e nossas preces pela vida eterna não deveriam dirigir-se a Jesus Cristo, e sim à pessoa do sr. Josué Montello [nota da 2ª edição].

interpretar o mundo, mas transformá-lo. (Cabe uma ressalva com relação ao neotomismo: não confundi-lo com o tomismo, se por esta palavra se entende a filosofia de Sto. Tomás de Aquino. O tomismo é filosofia no sentido pleno; o neotomismo é, ao contrário, um movimento cultural e político — ideológico, em suma — votado à difusão dessa filosofia, tomada como solução pronta de todos os problemas e, portanto, esvaziada de boa parte de sua substância filosófica. Afinal, tudo o que é neo-alguma-coisa é, por definição, apenas uma nova casca da qual essa coisa é o miolo. Observações semelhantes poderiam fazer-se, com reservas, também do positivismo e do marxismo: em ambos há na raiz algo de filosofia autêntica, sufocada pelo desenvolvimento hipertrófico de um programa de ação prática, dela deduzido aos trambolhões.)

Filosofias que recuam da especulação teorética para a proposição de ações práticas são filosofias da decadência; marcam as épocas em que os homens já não conseguem compreender o mundo e passam a agitar-se para escapar de um mundo incompreensível. A sofística nasce, na Grécia, do fracasso das primeiras especulações cosmológicas de Tales, Anaximandro, Anaximenes, Parmênides e Heráclito; incapaz de resolver as contradições entre as teorias, ela transfere o eixo das preocupações humanas para a vida prática imediata: para a política do dia. Os sofistas são professores de retórica, que ensinam aos jovens políticos os meios de agir sobre as consciências. À sofística opõe Sócrates a dialética e o ideal da demonstração apodíctica que orientará os esforços gregos em direção ao saber científico. Cinco séculos mais tarde, após o esquecimento das grandes sínteses teoréticas de Platão e Aristóteles, tornam-se novamente dominantes as escolas praticistas: os cínicos, os cirenaicos, os megáricos e, em parte, os estóicos. E assim prossegue a história do pensamento Ocidental, numa pulsação entre o empenho da compreensão teorética e a queda no ceticismo praticista. O fundo comum de onde emergem o positivismo, o marxismo e o neotomismo é a dissolução do racionalismo clássico, levado a um beco sem saída pela crítica kantiana e que tem no idealismo alemão o seu canto de cisne. Positivismo, marxismo e neotomismo são as filosofias de uma época que não tem filosofia nenhuma; de uma época que anseia por transformar o mundo na medida mesma em que é incapaz de desempenhar o esforço teórico necessário para compreendê-lo.

Num texto clássico — *Crise da Filosofia Ocidental* (1874) —, o filósofo russo Vladimir Soloviev previu que a filosofia, como atividade intelectual essencialmente individual, oposta ao pensamento coletivo da religião e da ciência, estava em vias de acabar, para ceder lugar a algo de totalmente diferente. Ele esperava o advento de uma grande síntese, mas o que se viu foi o advento do "século das ideologias". Ora, o Brasil entra no curso espiritual do mundo justamente no momento em que Soloviev faz esse diagnóstico: recebemos maciçamente o impacto das novas ideologias, antes de termos podido vivenciar a tradição filosófica que as antecedeu. Nosso contato com as fontes filosóficas da civilização do Ocidente continuou superficial, ao passo que nos entregávamos de corpo e alma às retóricas coletivistas. Passado mais de um século, ainda não temos uma boa tradução de Aristóteles, mas publicamos, já na década de 60, as obras completas de Antonio Gramsci.

De outro lado, toda tentativa nossa de penetrar mais fundamente no campo da filosofia mesma ficou limitada pela timidez, pela insegurança, que nos fazia apegar-nos como crianças à proteção de algum super-ego estrangeiro da moda. Cinco décadas de atividade filosofante na USP foram resumidas no título acachapante do livro recém-publicado de Paulo Arantes: *Um departamento francês de ultramar*. Escritórios de importação, representantes autorizados, imitação, pedantismo, oscilação entre a falsa consciência e a consciência de culpa marcam todos os nossos esforços filosóficos universitários no sentido de um pensamento independente. No fim, o intelectual com pretensões filosóficas só encontra alívio quando desiste delas e recai no pensamento coletivo; quando, abdicando de interpretar o mundo, se alinha, contrito e obediente, numa das correntes que professam transformá-lo: as conversões ao catolicismo, ao comunismo e às ideologias cientificistas originadas do positivismo constituem — independentemente dos motivos pessoais em cada caso — um melancólico *ritornello* na história dos fracassos das nossas ambições filosóficas. A queda no pensamento coletivo é vivenciada como um retorno da ovelha desgarrada, como uma libertação das culpas, como um reencontro com a infância perdida. Ao reintegrar-se numa comunidade ideológica o ex-filósofo arrependido encontra ainda um alívio para o isolamento que cerca o intelectual no meio subdesenvolvido, e o ingresso no grupo solidário arremeda a descoberta de um "sentido da vida".

A intelectualidade brasileira estava, por todos esses fatores, fundamente predisposta ao apelo gramsciano, onde a vida intelectual deixa de ser o esforço solitário de quem *cherche en gémissant*, para tornar-se a participação num "sentido da vida" amparado pela solidariedade coletiva. O Partido é às vezes chamado por Gramsci "intelectual coletivo". É o abrigo dos fracos. Aí a ascensão ao estatuto de intelectual é barateada: já não custa a penosa aquisição de conhecimentos, a investigação pessoal, a luta direta com as incertezas. Obtém-se pelo contágio passivo de crenças, de um vocabulário comum, de cacoetes distintivos.[18]

---

18   O fenômeno da pseudo-intelectualidade é um dos traços mais marcantes do chamado Terceiro Mundo, e é ela, não o proletariado ou as massas famintas, a base social dos movimentos revolucionários. Eric Hoffer, que examinou o assunto com mais seriedade do que ninguém, explica esse fenômeno pelas condições peculiares em que, nessa parte do globo, se deu, com a reforma modernizadora empreendida pelas potências Ocidentais, a quebra do modo de vida comunitário-patriarcal. Escrevendo no começo da década de 50, e mencionando nomeadamente a Ásia, ele fala em termos que se aplicam com precisão ao Brasil de hoje: "Em toda a Ásia, antes do advento da influência Ocidental, o indivíduo estava integrado num grupo mais ou menos compacto – a família patriarcal, o clã ou a tribo. Do nascimento à morte, sentia-se parte de um todo eterno e contínuo. Jamais se sentia sozinho, jamais se sentia perdido, jamais se via como um pedaço de vida flutuando numa eternidade de nada. A influência Ocidental [...] destruiu e corroeu a maneira tradicional de vida. O resultado não foi a emancipação, e sim o

A sociedade em torno legitima a paródia: diante dessas marcas exteriores, o brutamontes de direita acredita piamente estar na presença de um intelectual. A mídia faz o resto.

***

O segundo fator, a situação do momento, pode-se descrever mais ou menos assim: desde a derrota da luta armada, a esquer-

---

isolamento e o desamparo. Um indivíduo imaturo foi arrancado do calor e segurança de uma existência coletiva e deixado órfão num mundo frio.

"O indivíduo recém-surgido pode atingir algum grau de estabilidade [...] somente quanto lhe oferecem abundantes oportunidades de auto-afirmação ou auto-realização. Somente assim ele poderá adquirir a autoconfiança e auto-estima [...]. Quando a autoconfiança e a auto-estima parecem inatingíveis, o indivíduo em formação torna-se uma entidade altamente explosiva. Tenta obter uma impressão de confiança e de valor abraçando alguma verdade absoluta e identificando-se com os atos espetaculares de um líder ou de algum corpo coletivo – seja uma nação, uma congregação, um partido ou um movimento de massa.

"É necessário uma rara constelação de circunstâncias para que a transição de uma existência comunitária para a individual siga o seu curso sem ser desviada ou invertida por complicações catastróficas. [...] O indivíduo em surgimento na Europa, no fim da Idade Média, enxergou panoramas deslumbrantes de novos continentes, de novas rotas de comércio, de novos conhecimentos. O ar estava carregado de novas expectativas e havia a sensação de que o indivíduo por si só era capaz de qualquer empreendimento. A mudança [...] produziu uma explosão de vitalidade [...].

"Essa excepcional combinação de circunstâncias não estava presente na Ásia. Ali, ao invés de ser estimulado por perspectivas deslumbrantes e oportunidades jamais sonhadas, [o indivíduo] se viu enfrentando uma vida estagnada, debilitada, e extraordinariamente pobre. É um mundo onde a vida humana é a coisa mais abundante e barata. É, além disso, um mundo analfabeto [...].

"A minoria letrada é, assim, impedida de adquirir um senso de utilidade e de valor tomando parte no mundo do trabalho, e é condenada a uma vida de pseudo-intelectuais tagarelas e cheios de pose.

"O extremista da Ásia é hoje geralmente um homem de certa instrução que tem horror ao trabalho manual e um ódio mortal pela ordem social que lhe nega uma posição de comando. Todo estudante, todo escriturário e funcionário menos graduado se sente como um escolhido. É essa gente palavrosa e fútil que dá o tom na Ásia. Vivendo vidas estéreis e inúteis, não possuem autoconfiança e auto-respeito, e anseiam pela ilusão de peso e importância.

"É principalmente a esses pseudo-intelectuais que a Rússia comunista dirige seu apelo. Traz-lhes a promessa de tornarem-se membros de uma elite governante, a perspectiva de terem ação no processo histórico e, com seu falatório doutrinário, proporciona-lhes uma sensação de peso e profundidade" (Eric Hoffer, *The Ordeal of Change*, London, Sidgwick & Jackson, 1952; trad. brasileira de Sylvia Jatobá, O Intelectual e as Massas, Rio de Janeiro: Lidador, 1969, p. 16 ss.). É a descrição exata da liderança petista [nota da 2ª edição].

da andava em busca de uma estratégia pela qual se orientar. Não sendo capaz de criar uma nova e não encontrando no repertório mundial uma outra à sua disposição, ela aderiu a Gramsci quase por automatismo, sonambulicamente, levada pela carência de opções.

De fato, o comunismo internacional só teve, ao longo de sua história, um número pequeno de propostas estratégicas. Marx não apresentou nenhuma. A primeira que fez sucesso foi a de Lênin. Consistia na formação de uma elite auto-nomeada, na tomada do poder por um golpe súbito, na posterior conversão forçada do proletariado a uma causa vencedora que se apresentava como sua. A proposta de Lênin veio a predominar sobre o *socialismo evolucionário* de Edward Bernstein, o que provocou o racha entre os partidos comunistas e a social-democracia, que pregava a tomada do poder por via pacífica, eleitoral e gradualista. Hoje em dia a social-democracia é a grande vencedora, dominando toda a Europa; mas, no tempo de Lênin, sua rejeição pelos comunistas parecia prenunciar o seu fracasso, o que a queda de governos social-democratas ante o avanço do nazismo aparentemente confirmou. A terceira grande estratégia foi a de Mao Tsé-tung. Nas condições da China, não havia um proletariado urbano suficiente sequer para dar apoio moral à guerra revolucionária, e como, por outro lado, o exército revolucionário, banido dos grandes centros, acabasse iniciando uma "grande marcha" pelos campos, o apoio das populações camponesas tornou-se fundamental, e Mao teorizou a coisa *a posteriori*, transformando a revolução proletária em "guerra revolucionária operário-camponesa" — o que teria provocado engulhos em Karl Marx, que via nos camponeses uma horda de reacionários incuráveis. Paralelamente, a submissão do movimento comunista internacional aos interesses da política exterior soviética deu nascimento a uma quarta estratégia, que encontrou sua mais clara expressão no *Front Popular*, e que consistia fundamentalmente numa aliança dos comunistas com os "elementos progressistas"

II. Sto. Antonio Gramsci e a salvação do Brasil

de todas as outras correntes, direitistas inclusive. Aí, a pretexto de anti-fascismo, até Benedetto Croce ficou simpático. Finalmente, a quinta estratégia do movimento comunista surgiu da revolução cubana e da guerra do Vietnã. Sem um autor definido, resultando de enxertos e mixagens de várias proveniências, ela fundia, num vasto plano de guerrilhas, o combate rural e o urbano. Uma de suas versões foi a "teoria foquista" difundida por um doidão de nome Régis Débray, que obteve ampla audiência na América Latina e propunha, para fazer face ao poder maciço do imperialismo norte-americano, a formação de variados e simultâneos "focos" de guerrilhas. A teoria resumia-se no *slogan* então pixado nos muros de todas as universidades: "Um, dois, três, muitos Vietnãs". Deu no que deu. Dentre as muitas mixagens, uma particularmente interessante foi a que fundiu a estratégia comunista — até aí fundamentalmente proletária e camponesa, ao menos no nome — com as heresias de Herbert Marcuse, segundo o qual proletários e camponeses tinham-se integrado ao "sistema" e a revolução não tinha outros representantes autorizados senão os estudantes e intelectuais, de um lado, e, de outro, a massa dos miseráveis e marginalizados, o vasto *Lumpenproletariat*, do qual o velho Karl Marx aconselhava que os militantes comunistas fugissem como se foge de um assaltante à mão armada. Um dos resultados locais deste enxerto foi que, após a derrota da luta armada, os militantes brasileiros presos passaram a alimentar uma vaga esperança no potencial revolucionário do *Lumpen*, e, para adiantar o expediente, trataram de ir ensinando táticas de guerrilha aos bandidos com quem conviviam no presídio da Ilha Grande. (Mais tarde ainda, a fusão do gramscismo com resíduos do marcusismo transformaria num dos pratos de resistência do cardápio esquerdista a defesa da legitimidade do banditismo como "protesto social", que, formando polaridade com a onda de combate moralista aos "colarinhos brancos", estabeleceria uma dupla moral para o julgamento dos crimes: brando para com o *Lumpen*, mesmo quando este mata ou estupra, rigoroso para com os ricos e a classe-média, quando cometem delitos contra o patrimônio — a mais curiosa inversão já observada na história da moralidade.)

Nessa resenha das estratégias comunistas, onde entra o gramscismo? Não entra. Ele ficou de fora, restrito a círculos locais italianos, e só alcançou maior difusão, mesmo na Itália, após a década de 50, com a edição das obras completas de Gramsci por Einaudi. A partir de 1964, a facção comunista brasileira ainda fiel à orientação moscovita de aliança com a burguesia acreditou ver em Gramsci um potencial renovador desta estratégia, com a qual ele coincide ao menos no que diz respeito ao caráter eminentemente não-sangrento da luta revolucionária e na cuidadosa exclusão de quaisquer radicalismos que pudessem estreitar a base das colaborações possíveis. Porta-voz dessa corrente, o editor Ênio Silveira empreendeu então a publicação ao menos das principais obras de Gramsci: *A concepção dialética da História; Maquiavel, a Política e o Estado Moderno; Os intelectuais e a organização da Cultura; Literatura e vida nacional* e *Cartas do cárcere.*

Estas obras foram muito lidas, mas, numa atmosfera dominada pela obsessão da luta armada, não exerceram influência prática imediata. Seu potencial ficou retido até a derrota da luta armada, que provocou, como não poderia deixar de ser, um retorno generalizado às teses do combate pacífico e aliancista defendidas pelo PC pró-Moscou. O reatamento do romance entre a esquerda armada e a desarmada deu-se, naturalmente, sobre um fundo musical orquestrado pelo maestro Antonio Gramsci. Simplesmente não havia outro capaz de musicar esta cena. A esquerda tornou-se gramsciana meio às tontas, jogada pelo entrechoque dos acontecimentos, como bolas de bilhar que, impelindo umas às outras, vão dar todas enfim na caçapa.

Agora, a imprensa brasileira acaba de descobrir, com um atraso de dez anos, que o programa do PT é gramsciano. Mas, além de tardia, esta descoberta é inexata: não é só o PT que segue Gramsci; todos os homens de esquerda neste país o fazem há uma década, sem se dar conta. O gramscismo domina a atmosfera por simples ausência de outras propostas e também por uma razão especial: atuando menos no campo do combate ideológico expresso do que no da conquista do subconsciente, ele se propaga por mero contágio de modas e cacoetes mentais, de maneira que põe a seu serviço informal uma legião de pessoas que nunca ouviram falar em Antonio Gramsci. O gramscismo conta menos com a adesão formal de militantes do que com a propagação epidêmica de um novo "senso comum". Sua facilidade de arregimentar colaboradores mais ou menos inconscientes é, por isto, simplesmente prodigiosa.

Eis ai o terceiro fator a que me referi. O gramscismo é menos uma filosofia do que uma estratégia de ação psicológica, destinada a predispor o fundo do "senso comum" a aceitar a nova tábua de critérios proposta pelos comunistas, abandonando, como "burgueses", valores e princípios milenares.

Que essa "filosofia", para se propagar, não conte tanto com a persuasão racional como com a eficácia da penetração sutil no inconsciente das massas, é o que se vê claramente pela sua ênfase na conquista das mentes infantis — um terreno onde o avanço da esquerda vem causando um dano incalculável a milhões de crianças brasileiras, usadas como cobaias de uma desastrosa experiência gramsciana. Que, enfim, essa corrente haja alcançado sucesso no Brasil, é algo que testemunha a miséria intelectual de um meio onde os letrados, incapazes de suportar o isolamento, buscam menos a verdade e o conhecimento do que uma carteirinha de intelectual orgânico, que lhes garanta o apoio psicológico de um vasto grupo solidário e os aureole de um ambíguo prestígio aos olhos dos brutamontes de direita, sua mal disfarçada paixão.

Isso não poderia acontecer senão aqui.

ADENDOS

1

O número dos adeptos conscientes e declarados do gramscismo é pequeno, mas isto não impede que ele seja dominante. O gramscismo não é um partido político, que necessite de militantes inscritos e eleitores fiéis. É um conjunto de atitudes mentais, que pode estar presente em quem jamais ouviu falar de Antonio Gramsci, e que coloca o indivíduo numa posição tal perante o mundo que ele passa a colaborar com a estratégia gramsciana mesmo sem ter disto a menor consciência. Ninguém entenderá o gramscismo se não perceber que o seu nível de atuação é muito mais profundo que o de qualquer estratégia esquerdista concorrente. Nas demais estratégias, há objetivos políticos determinados, a serviço dos quais se colocam vários instrumentos, entre eles a propaganda. A propaganda permanece, em todas elas, um *meio* perfeitamente distinto dos *fins*. Por isto mesmo a atuação do leninismo, ou do maoismo, é sempre delineada e visível, mesmo quando na clandestinidade. No gramscismo, ao contrário, a propaganda não é um meio de realizar uma política: ela é a política mesma, a essência da política, e, mais ainda, a essência de toda atividade mental humana. O gramscismo transforma em propaganda tudo o que toca, contamina de objetivos propagandísticos todas as atividades culturais, inclusive as mais inócuas em aparência. Nele, até simples giros de frase, estilos de vestir ou de gesticular podem ter valor propagandístico. É esta onipresença da propaganda que o singulariza e lhe dá uma força que seus adversários, acostumados a medir a envergadura dos movimentos políticos pelo número de adeptos formalmente comprometidos, nem de longe podem avaliar.

Um detalhe que assinala bem as diferenças é a atitude do gramscismo perante a arte engajada. Outras estratégias exigem do artista que ele imprima às suas obras um sentido político determinado, ou que, pelo menos, sua visão do mundo, expressa em *cada* obra, seja coerente com a interpretação marxista. A literatura engajada do leninismo, do stalinismo ou do maoismo, é portanto uma coleção de obras das quais cada uma, por si, é uma peça de propaganda, com valor autônomo. Já no gramscismo o que interessa é apenas o *efeito de conjunto* da massa de obras literárias em circulação. Esse efeito de conjunto deve tender à mudança do senso comum desejada pelo Partido, pouco importando que cada obra, tomada isoladamente, nada tenha de marxista ou seja mesmo destituída de qualquer valor propagandístico.

Graças a isto, o julgamento gramsciano de cada obra é muito menos rígido e dogmático que o de outras correntes marxistas — o que muito contribuiu para elevar o seu prestígio entre intelectuais ansiosos por conciliar seus ideais marxistas com seu desejo pessoal de liberdade.

No gramscismo, *qualquer* obra literária pode contribuir para a propaganda marxista, dependendo apenas do contexto em que é divulgada — tal como num jornal o teor das notícias tomadas individualmente interessa menos do que sua localização na página, ao lado de outras notícias cujo efeito de conjunto imprime um novo sentido a cada uma delas.

O objetivo primeiro do gramscismo é muito amplo e geral em seu escopo: nada de política, nada de pregação revolucionária, apenas operar um giro de cento e oitenta graus na cosmovisão do senso comum, mudar os sentimentos morais, as reações de base e o senso das proporções, sem o confronto ideológico direto que só faria excitar prematuramente antagonismos indesejáveis.

As mudanças aí operadas podem ser, no entanto, muito mais profundas e decisivas do que a mera adesão consciente de um eleitorado às teses comunistas. Mudanças de critério moral, por exemplo, têm efeitos explosivos. Essas mudanças podem ser induzidas através da imprensa, sem qualquer ataque frontal e explícito aos critérios admitidos. Um caso que ilustra isto perfeitamente bem, e que demonstra o alcance da estratégia gramsciana no Brasil, é o do noticiário sobre corrupção. A campanha pela *Ética na Política* não surgiu com um intuito moralizador, mas como uma proposta política antiliberal. Numa entrevista ao *Jornal do Brasil*, um dos fundadores da campanha, Herbert de Souza, o Betinho, deixou isso perfeitamente claro. A campanha surgiu numa reunião de intelectuais de esquerda em busca de uma fórmula contra Collor, muito antes de que houvesse qualquer denúncia de corrupção no governo. Mais tarde, estas denúncias vieram a dar à campanha uma força inesperada, trazendo para ela a adesão de massas de classe-média moralista que, politicamente, teriam tudo para se opor a qualquer proposta explicitamente esquerdista. Ora, a campanha exerceu uma influência decisiva na direção do noticiário nos jornais e na TV. Essa influência foi tal que introduziu nos julgamentos morais uma mudança profunda. Impressionado pelo conteúdo escandaloso das notícias, o público nem de longe reparou que a edição delas subentendia essa mudança, que, conscientemente, ele não aprovaria. Ela consistiu em fazer com que os crimes contra o patrimônio público parecessem infinitamente mais graves e revoltantes do que os crimes contra a pessoa humana. P. C. Farias, um trêmulo estelionatário incapaz de dar um pontapé num cachorro, era apresentado como um Al Capone, ao mesmo tempo que se minimizava a gravidade do banditismo armado. Se de um lado jornalistas de esquerda promovem um ataque maciço aos criminosos de colarinho branco e de outro lado intelectuais de esquerda lutam para que os chefes de bandos de assassinos armados sejam reconhecidos como "lideranças populares" legítimas, o efeito conjugado dessas duas operações é bem nítido: atenuar a gravidade dos crimes contra a pessoa, quando cometidos pela classe baixa e aproveitáveis politicamente pelas esquerdas, e enfatizar a dos crimes contra o patrimônio, quando cometidos por membros da classe dominante. Eis aí a luta de classes transformada em supremo critério da moral, desbancando o preceito milenar, arraigado no senso comum, de que a vida é um bem mais sagrado do que o patrimônio.

Para que essas duas operações ocorram simultaneamente, produzindo um resultado unificado, não é preciso que emanem de um comando central organizado. Basta que os intelectuais envolvidos numa e noutra comunguem ainda que vagamente de um espírito revolucionário gramsciano, para que, numa espécie de cumplicidade implícita, cada qual realize sua tarefa e todos os resultados venham a convergir na direção dos fins gramscianos. Isto não exclui, é claro, a hipótese de um comando unificado, mas, para o sucesso da estratégia gramsciana, a unidade de comando, ao menos ostensiva, é bastante dispensável na fase da luta pela hegemonia.

É interessante saber que, na Constituição do Estado soviético, o homicídio doloso era punido com apenas dez anos de cadeia e os crimes contra a administração pública sujeitavam o culpado à pena de morte. Nem poderia ser de outro modo, dado o pouco valor que, na perspectiva marxista, tem a vida individual quando não posta a serviço da revolução. Ora, o noticiário sobre corrupção conseguiu introduzir na mente brasileira o hábito de julgar as coisas segundo uma escala moral soviética; e o fez com muito mais eficiência do que lograria em anos e anos de debates explícitos. Uma vez explicitada, essa mudança seria rejeitada com horror por um povo em que ainda são vivos, no fundo, os sentimentos cristãos. Introduzida por baixo, como critério subjacente, ela penetra às ocultas no senso comum e o perverte até a raiz, preparando-o para aceitar passivamente, no futuro, aberrações maiores ainda, que venham a ser impostas por um Estado socialista.[19]

---

19 A proposta do PT, de dar prêmios aos cidadãos que delatem casos de corrupção, seria repelida com horror se apresentada uns anos atrás, quando a corrupção não era menor mas os sentimentos morais da população brasileira conservavam uns vestígios de normalidade porque ainda não tinham sido corrompidos pela "campanha da Ética". Hoje, é aceita com aplausos dos que não percebem nela aquilo que ela verdadeiramente é: a instauração do Estado policial em nome da moralidade, a corrupção de todas as relações humanas pela universalização da suspeita, o incentivo à espionagem de todos contra todos. Para que o Estado não perca dinheiro, será preciso que todos os brasileiros percam a dignidade e o respeito próprio, transformando-se em alcagüetes premiados [nota da 2ª edição].

A atuação espontânea, aparentemente inconexa, de milhares de intelectuais — no sentido gramsciano — em setores distintos da vida pública, pode ser facilmente dirigida para onde o deseja a revolução gramsciana, não sendo necessário para isto nem mesmo um oculto Comitê Central de super-cérebros a comandar o conjunto da operação. Basta que uma cumplicidade inicial se estabeleça entre certos grupos, para que, sobretudo na ausência de qualquer confronto crítico com outras correntes, o gramscismo avance como sobre trilhos azeitados, na estrada que leva à conquista da hegemonia. Ele já penetrou fundo, por esse caminho, na mentalidade brasileira. Quando um partido político assume publicamente sua identidade gramsciana, é que a fase do combate informal — a decisiva — já está para terminar, pois seus resultados foram atingidos. Vai começar a luta pelo poder. O que marca esta nova fase é que todos os adversários *ideológicos* já foram vencidos ou estão moribundos; nenhum outro discurso ideológico se opõe ao gramscismo, e os adversários políticos que restam lhe dão ainda maior reforço, na medida em que, não possuindo alternativa mental, pensam dentro dos quadros conceituais e valorativos demarcados por ele e só podem combatê-lo em nome dele mesmo. Isto é hegemonia.

2

Gramsci jura que é leninista, mas como ele atribui a Lênin algumas idéias de sua própria invenção das quais Lênin nunca ouviu falar, as relações entre gramscismo e leninismo são um abacaxi que os estudiosos buscam descascar revirando os textos com uma paciência de exegetas católicos. Uma dessas idéias é a de "hegemonia", central no gramscismo. Gramsci diz que ela foi a "maior contribuição de Lênin" à estratégia marxista, mas o conceito de hegemonia não aparece em parte alguma dos escritos de Lênin. Alguns exegetas procuraram resolver o enigma identificando a hegemonia com a ditadura do proletariado, mas isto não dá muito certo porque Gramsci diz que uma classe só implanta uma ditadura quando *não tem* a hegemonia. As relações entre Gramsci e Marx também são embrulhadas, como se vê no uso do termo "sociedade civil": para Marx, sociedade civil é o termo oposto e complementar do "Estado", e, logo, se identifica com o reino das relações econômicas, ou infra-estrutura. Em Gramsci, a sociedade civil, somada à sociedade política ou Estado, compõe a super-estrutura que se assenta sobre a base econômica.

Essas e outras dificuldades de interpretação do pensamento de Gramsci decorrem, em parte, do caráter fragmentário e disperso dos seus escritos. Talvez elas possam ser resolvidas, mas o que é realmente espantoso é que, alguns anos após revelada ao mundo a maçaroca dos textos gramscianos, e antes mesmo que algum sério exame produzisse uma interpretação aceitável do seu sentido, ela já fosse adotada como norma diretiva por várias organizações, começando a produzir efeitos práticos sobre os quais ninguém, nessas condições, poderia ter o mínimo controle. Essa adesão apressada a uma idéia que mal se compreendeu assinala uma tremenda irresponsabilidade política, um desejo ávido de atuar sobre a sociedade humana sem medir as conseqüências. É claro que ninguém adere a Gramsci com outro propósito que não o de implantar o comunismo em alguma parte do mundo. Mas, sendo o gramscismo um pensamento obscuro e às vezes incompreensível, não há nenhum motivo para crer que sua aplicação deva produzir nem mesmo esse resultado, lamentável o quanto seja. Pode acontecer, por exemplo, que a estratégia gramsciana não gere outro efeito além de tornar os burgueses ateus, retirando os freios que a religião impunha à sua cobiça e ao seu maquiavelismo. Algo muito parecido aconteceu na própria terra de Gramsci: é impossível não haver conexão entre a decadência da fé católica e a transformação da Itália numa Sodoma capitalista. A nova cultura materialista e gramsciana que dominou a atmosfera intelectual italiana desde a década de 60 muito contribuiu para esse resultado; apenas, não se vê que vantagem os comunistas puderam tirar disso. Os esquerdistas brasileiros deveriam pensar na experiência italiana antes de atirar-se a aventuras gramscianas que, na educação como na política, podem levar a resultados tão confusos quanto as idéias que as inspiram.

3

O termo "Estado Ético" é ele mesmo um dos primores de ambiguidade que se encontram na mixórdia gramsciana. Ora ele designa o Estado comunista, ora o Estado capitalista avançado, ora qualquer Estado. De modo mais geral, Gramsci denomina "ético" todo Estado que procure elevar a psique e a moral de seus cidadãos ao nível atingido pelo "desenvolvimento das forças produtivas", subentendendo-se que o Estado comunista faz isto melhor do que ninguém. A idéia é intrinsecamente imoral: consiste em submeter a moral às exigências da economia. Se, por exemplo, um determinado estágio do "desenvolvimento das forças produtivas" requer que todos os habitantes de uma região sejam removidos para o outro extremo do país, como aconteceu muitas vezes na União Soviética, torna-se "ética" a conduta de um garoto que denuncie o pai às autoridades por tentar fugir para uma cidade próxima. A asquerosa admiração que os brasileiros vêm demonstrando nos últimos tempos pelos irmãos que delatam irmãos, pelas esposas que delatam maridos, é índice de uma nova moralidade, inspirada em valores gramscianos. Não há dúvida de que o novo critério é "ético" no sentido gramsciano, isto é, economicamente útil, já que a delação generalizada de pais, irmãos, maridos e amantes pode ressarcir alguns prejuízos sofridos pelo Estado. Mas isto não atenua sua imoralidade intrínseca.

4[20]

Em cursos e conferências, venho falando do gramscismo petista desde 1987 pelo menos, para platéias em que não faltaram jornalistas. Mas a imprensa brasileira, refratária a tudo quanto seja

---

20 Escrito para a 2ª edição.

novo, só em 1994 informou ao público a inspiração gramsciana do petismo, quando ela não era mais uma tendência latente e já se havia externalizado no programa oficial do partido. O primeiro a dar o alarma foi Gilberto Dimenstein, na *Folha de S. Paulo*, logo após a publicação deste livro que aliás nem sei se ele leu; mas limitava-se a mencionar o nome do ideólogo italiano, sem nada dizer do conteúdo de suas idéias. Não teve a menor repercussão. Mais tarde li duas ou três frases alusivas a Gramsci, em outros jornais e em *Veja*. Tudo muito sumário, num tom de quem contasse com a compreensão de uma platéia versadíssima em gramscismo. É o velho jogo-de-cena do histrionismo brasileiro: dar por pressuposto que o ouvinte sabe do que estamos falando é um modo de induzi-lo a crer que sabemos do que falamos. Na verdade, fora dos círculos do petismo letrado, só sabem de Gramsci uns quantos acadêmicos, entre os quais Oliveiros da Silva Ferreira, que defendeu uma tese sobre o assunto numa USP carregada de odores gramscianos, na década de 60. Gramsci continua esotérico, lido só em família, a salvo de qualquer crítica exceto amigável — uma crítica dos meios, conivente com os fins, numa atmosfera de culto e devoção que raia a pura e simples babaquice. Mas pelo mundo civilizado circulam críticas devastadoras, que provavelmente jamais chegarão ao conhecimento do público brasileiro. Assinalo as de Roger Scruton[21] e Alfredo Sáenz,[22] que tomam o assunto por lados bem diferentes daquele que abordo neste livro, mas chegam a conclusões não menos reprobatórias.

Devo apontar como exceção notável, ainda que tardia, um artigo de Márcio Moreira Alves.[23] Ele resgata parcialmente a honra da imprensa brasileira, mostrando que há nela pelo menos

---

21 Roger Scruton, *Thinkers of the New Left*, Harlow (Essex), Longman, 1985 [nota da 2ª edição].
22 Alfredo Sáenz, s. J., "La estratégia ateísta de Antonio Gramsci", em *Ateísmo y Vigencia del Pensamiento Católico. Actas del Cuarto Congreso Catolico Argentino de Filosofía*, Córdoba, Asociación Católica Interamericana de Filosofía, 1988, p. 355-366. [nota da 2ª edição].
23 "A revolução passiva", *O Globo*, 28 de junho de 1994.

um cérebro capaz de saber de Gramsci algo mais do que o nome e pelo menos um repórter que não foge da notícia. Ele explica em linhas gerais a estratégia gramsciana e o estado presente de sua aplicação pela liderança petista, levando à conclusão de que, em vez de criar uma democracia como o partido promete, ela vai produzir aqui a ditadura de uma capelinha de intelectuais. É lamentável, apenas, que no reduzido espaço de sua coluna o sempre surpreendente Moreira Alves não pudesse abranger assunto tão vasto senão em abreviatura pesadamente técnica, de difícil assimilação pelo público. *O Globo* deveria dar-lhe duas páginas inteiras para trocar em miúdos os ensinamentos ali contidos, talvez os mais importantes e urgentes que a imprensa brasileira transmitiu ao público nos últimos anos.

Particularmente oportuna é ali a observação de que o programa mesmo do PT reconhece — oficialmente, por assim dizer — a hegemonia da esquerda, principalmente no campo cultural mas também na política, na medida em que proclama o ingresso atual do Brasil num novo "bloco histórico" (sistema cerrado de relações entre a economia e a superestrutura cultural, moral e jurídica). É digna da maior atenção, no programa do PT, a parte referente à "revolução passiva". A passagem ao novo "bloco histórico" será feita pela elite ativista com base no "consenso passivo" da população. Isto quer dizer, sumariamente, que o povo não precisará manifestar seu apoio ao programa do PT para que este se sinta autorizado a promover a transformação revolucionária da sociedade. A simples ausência de reação hostil, para não dizer de rebelião, será interpretada como aprovação popular: quem cala consente, em suma. A proposta é de um cinismo descarado. Ela investe o PT do direito divino de agir em nome do povo sem precisar ouvi-lo, já que o silêncio se tornará aplauso. Durante sete décadas o silêncio de um povo oprimido foi interpretado como "aprovação passiva" pelo governo da URSS. Em linguagem técnica mas incisiva, Márcio Moreira Alves mostra que por esse caminho não se pode chegar a uma democracia.

Discordo dele só num ponto: ele acha que a estratégia petista é uma traição aos ideais de Gramsci, e eu estou seguro de que ela é a mais pura encarnação do gramscismo universal.[24]

O mais lamentável em toda essa história é que a massa dos militantes do PT não tem a menor condição intelectual de compreender as sutilezas da estratégia gramsciana, e vai se deixando conduzir sonambulicamente pelos guias iluminados, sem fazer perguntas quanto à verdadeira meta da jornada.

---

24 Há pensadores de quem a gente diverge com o maior respeito. Entre os marxistas, esse é para mim o caso de um Adorno, de um Horkheimer, de um Marcuse, ou mesmo de um Lukács. Mas por Gramsci, como o leitor já deve ter percebido, não consigo sentir o menor respeito, porque ele não respeita nada e se porta ante dois milênios de civilização com a petulância dos ignorantes. Acho uma babaquice ter ante um escritor qualquer uma reverência maior do que a que ele tem ante Moisés, Jesus Cristo ou a Virgem Maria. Mas a atmosfera de culto em torno do nome de Antonio Gramsci é tão carregada de zelo, que acaba inibindo por contágio inconsciente até os melhores cérebros, impedindo-os de chegar a uma visão objetiva e crítica do pensamento de Gramsci [nota da 2ª edição].

III
A Nova Era e a Revolução Cultural

As idéias de Capra e de Gramsci são puras ficções, mas nem por isto as semelhanças entre elas são mera coincidência. A simples listagem basta para por à mostra uma raiz comum:

1. Ambas essas correntes são radicalmente "historicistas" — quer dizer: para elas, toda "verdade" é apenas a expressão do sentimento coletivo de um determinado momento histórico. O que importa não é se esse sentimento coletivo capta uma verdade objetivamente válida, mas, ao contrário, ele vale por si como único critério do pensamento correto.

2. Em ambas, o sujeito ativo do conhecimento não é a consciência individual, mas a coletividade. Elas divergem somente, na superfície, quanto à delimitação desse místico "sujeito coletivo": para Capra, é "a humanidade", ou, mais vagamente ainda, "nós" (é característico dos doutrinários da Nova Era, como Capra ou Marilyn Ferguson, dirigir-se a um auditório universal na primeira pessoa do plural, de modo que não sabemos se quem fala é um Autor divino ocultando sua supra-personalidade num plural majestático, ou se é a autoconsciência coletiva da humanidade). Para Gramsci, o sujeito coletivo é o "proletariado", ou, mais propriamente, o conjunto dos intelectuais orgânicos que o "representam", isto é, o Partido.

3. Ambas insistem menos em provar alguma tese do que em induzir uma "mudança de percepção", uma virada repentina que faça as pessoas *sentirem* as coisas de um modo diferente. Com Capra e Gramsci ninguém pode discutir, tese por tese, demonstração por demonstração: a conversão tem de ser integral e súbita, ou não se realiza jamais: capristas e gramscistas são "convertidos" ou "renascidos", que num determinado instante de suas vidas "viram a luz" mediante uma rotação instantânea do eixo de sua cosmovisão. O decisivo, em ambos os casos, não é a argumentação racional, mas uma *adesão* prévia, volitiva ou sentimental: o sujeito "sente-se" de repente, como um todo, identificado com a Nova Era ou com a causa do proletariado, e em seguida passa a ver os detalhes de acordo com o novo quadro de referência.

4. Ambas são "revoluções culturais". Pretendem inaugurar um novo cenário mental para a humanidade, no qual todas as visões e opiniões anteriores serão implicitamente invalidadas como meras expressões subjetivas de um tempo que passou. Como, de outro lado, a nova cosmovisão também não se apresenta como verdade objetivamente válida e sim apenas como expressão de um "novo tempo", já não se pode confrontar as idéias de hoje com as de antigamente para saber quem tem razão: o critério de veracidade foi substituído pelo da "atualidade", e como toda época é atual para si mesma, cada qual constitui uma unidade cerrada, com suas idéias que só são válidas subjetivamente para ela. Platão tinha as idéias do "seu tempo"; nós temos a do "nosso tempo" — cada um na sua.

5. A dimensão "tempo" é assim absolutizada, reinando sozinha num mundo de onde foi extirpado todo senso de permanência e de eternidade. Em Gramsci, a amputação é explícita; em Capra e na Nova Era em geral, implícita e disfarçada pela verborréia mística. Após essa cirurgia, a mente humana torna-se incapaz de captar o que quer que seja das relações ideais que, para além do real empírico, apontam para a esfera do possível, da infinitude, do universal. O empírico, o fato consumado, o horizonte imediato

das preocupações práticas — pessoais ou coletivas — torna-se o extremo limite da visão humana. O "cosmos" de Capra e a "História" de Gramsci são campânulas de chumbo que prendem a imaginação humana num mundo pequeno, artificialmente engrandecido pela retórica.

6. Com o senso da eternidade e da universalidade, vai embora também o senso da verdade, a capacidade humana de distinguir o verdadeiro do falso, substituída por um sentimento coletivo de "adequação" ao "nosso tempo". A "supra-consciência" da Nova Era e o "intelectual coletivo" de Gramsci têm em comum a mais absoluta falta de inteligência. Para ambos vale o que o jornalista Russell Chandler disse de um deles:

> A maior capacidade da mente humana é a sua habilidade de discriminar entre o que é verdadeiro e o que é falso, distinguir o que é real do que é ilusório ou aparente. Mas a 'supra-consciência' da Nova Era está programada para ignorar essas distinções.[25]

7. Dissolve-se também a autoconsciência reflexiva e crítica, pela qual o indivíduo humano é capaz de sobrepor-se às ilusões coletivas e *julgar* o seu tempo. Fechado na redoma do momento histórico, é vedado ao indivíduo enxergar para além dele, exercer os privilégios de uma inteligência autônoma, ter razão contra a opinião majoritária — seja ela a opinião conservadora do *establishment* ou o anseio coletivo dos ambiciosos insatisfeitos.

8. A depreciação da consciência individual vem com a negação do critério da evidência intuitiva como base para julgar a verdade. Reduzida a seu aspecto psicológico, imanente, a intuição torna-se apenas uma experiência interna como qualquer outra, incapaz de evidência apodíctica. Confunde-se com o sentimento, com o pressentimento, com a vaga impressão e com a fantasia. Daí a necessidade de um novo critério, que será, na Nova Era, a

---

25 Russell Chandler, *Compreendendo a Nova Era*, trad. João Marques Bendes, São Paulo: Bom Pastor, 1993, p. 47.

fantasia mesma, adornada com o título de intuição mística, e na Revolução Cultural de Gramsci o sentimento coletivo do Partido, detentor profético do sentido da História.

***

As semelhanças são tão substanciais que, perto delas, as diferenças se tornam meramente adjetivas. A filiação comum remonta, no mínimo, ao mito mais querido da ilusão moderna: o mito da Revolução, do "apocalipse terreno", que, num giro súbito de todas as aparências, transfigurará o mundo, inaugurando um Céu na Terra. O mito da Revolução é a cenoura-de-burro que há séculos mantém a humanidade no encalço do comboio da História disparado em direção a uma miragem, sem poder atingir outro resultado senão a aceleração do devir, que, não chegando a parte alguma, acaba sendo entronizado ele mesmo como supremo objetivo da vida: o acontecer pelo acontecer, a eternização do fluxo das impressões, a redução do homem ao ser empírico preso a uma girândola sem fim de "experiências" e "momentos" atomísticos. Em termos orientais, que o linguajar da Nova Era repete sem compreender-lhes o sentido, é a absolutização da *Maya*, a prisão eterna no círculo do *samsara*.

Nem as idéias de Capra nem as de Gramsci necessitam de refutação. Sua interpretação ordenada e clara já vale como refutação. O simples desejo de compreendê-las basta para exorcizá-las. São idéias que só podem prosperar sob a proteção de uma névoa de ambiguidades, e só encontram terreno fértil nas almas que anseiam por ilusões lisonjeiras, em cujo colo macio possam esquecer sua própria miséria, a miséria de toda vaidade.

Observações finais

Expondo em conferências as idéias que depois viria a registrar neste livro, muitas vezes recebi dos ouvintes a exigência de uma "definição política". Sentiam-se desconfortáveis ante um interlocutor sem filiação identificável, algo assim como um UFO ideológico, e desejavam saber com quem estavam falando.

Minha resposta, invariavelmente, tem sido a seguinte:

O pressuposto dessa exigência é que não se pode criticar uma ideologia senão em nome de uma outra ideologia, dentre as reconhecidas no catálogo do momento. Esse pressuposto, por sua vez, funda-se num preconceito meio historicista, meio sociologista, segundo o qual todo pensamento individual é apenas "expressão" de algum anseio coletivo, e deve a este sua validade. Em oposição a este preconceito e àquele pressuposto, estou profundamente convicto de que somente o pensamento do indivíduo como tal pode ter validade objetiva, pois não há verdade senão para a consciência reflexiva, que só existe no indivíduo. As correntes de pensamento coletivas apenas manifestam desejos, anseios, temores, e jamais se levantam ao nível de autoconsciência crítica no qual a distinção entre verdade e falsidade pode ter algum sentido. Somente a autoconsciência do indivíduo pode captar essa distinção, ascender à esfera dos juízos universalmente válidos e da veracidade objetiva. Logo, é ela quem é juiz do pensamento coletivo.

A monstruosa inversão que submete o juízo da consciência individual ao critério das ideologias coletivas provém de uma mutilação da mente moderna, incapaz de atinar com alguma "universalidade" que não seja meramente quantitativa, reduzida portanto à "generalidade" e, em última análise, à validação puramente estatística. Como, de outro lado, toda prova estatística pressupõe a validade universal das leis da aritmética elementar, cujo fundamento é a evidência apodíctica somente acessível à consciência individual, o primado do pensamento coletivo repousa numa autocontradição pela qual nega sua própria validade.

Para piorar ainda mais as coisas, o pensamento coletivista, não tendo acesso à esfera da validade objetiva, logo perde toda referência ao "objeto" como tal e se fecha num subjetivismo coletivo: da estatística dos "fatos" caímos para a estatística das "opiniões", e a contagem dos votos se torna o supremo critério da veracidade. Este processo, que se inicia na esfera da política, termina por contaminar a ciência mesma, onde hoje em dia ouvimos apelos generalizados em favor da aceitação de critérios puramente retóricos de argumentação como fundamentos legítimos da credibilidade científica. O marketing, em suma, é elevado a ciência suprema, modelo e juiz de todas as outras ciências.

Ou aceitamos esse resultado, ou devemos negar pela raiz o primado do pensamento coletivo, restaurando a consciência individual no posto de dignidade que lhe cabe. E, neste caso, deveremos admitir que o indivíduo humano possa elevar-se acima das ideologias e julgá-las, contanto que não o faça em nome de um protesto pessoal e subjetivo, mas em nome da veracidade universal e apodíctica, da qual ele, com todas as suas fraquezas, com todos os seus condicionamentos limitantes, continua, afinal, o único representante sobre a Terra.

No século XX, a consciência individual sofreu, das pseudociências emergentes, os mais violentos ataques, que pretenderam negá-la, reduzi-la a um epifenômeno dos papéis sociais introjetados, a uma projeção do instinto de sobrevivência, a uma ficção gramatical, a mil e uma formas do falso e do ilusório. De outro lado, no campo das técnicas psicológicas, nunca se investiu tanto na busca de meios para subjugar a consciência individual, quebrar sua autonomia, forçá-la a repetir mecanicamente o discurso coletivo. Se o nosso é o século do marxismo, da psicanálise, do estruturalismo, é também o da hipnose, o das técnicas de influência subliminar, o da lavagem cerebral, o da "modificação de comportamento" e o da Programação Neurolingüística. Se, por um lado, tudo se faz para demonstrar teoricamente a inanidade da consciência individual, de outro lado não se poupam esforços para reprimi-la e subjugá-la. Ora, estas duas séries de fatos, quando confrontadas, sugerem uma pergunta: para que tanto empenho em derrotar na prática algo que, em teoria, não existe? Se o cavalo está morto, para que açoitá-lo com tanta fúria?

Este é aliás o tema de um livro que estou preparando, *A alienação da consciência*. É uma resenha dos ataques teóricos e práticos dirigidos pelas doutrinas pseudocientíficas, em aliança com os governos totalitários ou com o establishment tecnocrático, contra a autonomia da consciência individual. Foi este estudo, precisamente, que me levou à rejeição completa e taxativa de todo pensamento ideológico. Não me perguntem, portanto, em nome de que ideologia combato esta ou aquela ideologia. Combato-a desde um plano que não é acessível ao pensamento ideológico, e que só existe para a autoconsciência individual, quando firmemente decidida a não abdicar de seu direito — e de seu dever — à verdade e à universalidade. Em conseqüência, também não me dirijo a ouvintes e leitores enquanto representantes desta ou daquela facção ou grupo, mas enquanto portadores de uma inteligência universalmente válida, capaz de sobrepor-se ao discurso de facções e grupos e julgá-lo objetivamente. Não converso com fantoches coletivos, mas com seres humanos, investidos da dignidade suprema da autoconsciência, que os torna imagens de Deus. Se, enquanto apegada à identidade biológica e sujeita portanto à ilusão passional, a consciência do indivíduo é pura

Maya, por outro lado é somente o indivíduo, e não o aglomerado estatístico das coletividades, que pode ascender ao plano da universalidade onde é lícito dizer: eu sou *Brahman*.

Rio de Janeiro, março de 1994.

Apêndices

AS ESQUERDAS E O CRIME ORGANIZADO

Comando Vermelho. A História Secreta do Crime Organizado, de Carlos Amorim,[26] é um trabalho de valor excepcional, cuja leitura se recomenda a todos os brasileiros que se preocupem com o futuro deste país. Futuro do qual se pode ter um vislumbre pelas palavras de William Lima da Silva, o "Professor", fundador e guru do Comando Vermelho, citadas à p. 255:

> Conseguimos aquilo que a guerrilha não conseguiu: o apoio da população carente. Vou aos morros e vejo crianças com disposição, fumando e vendendo baseado. Futuramente, elas serão três milhões de adolescentes, que matarão vocês [a polícia] nas esquinas. Já pensou o que serão três milhões de adolescentes e dez milhões de desempregados em armas?

A quem entenda isso como mera expressão de um delírio megalômano, o livro de Carlos Amorim mostra que a sinistra profecia já está em curso de realização: o Comando Vermelho não apenas domina dois quintos do território do Grande Rio, desfrutando aí o monopólio dos sequestros, do comércio de carros roubados, do tráfico de drogas, mas exerce também nessa área funções de governo, por meio do terror alternado com lisonjas paternalis-

---

26 Rio de Janeiro: Record, 1993.

tas, e tem ainda a liderança no contrabando de armas pesadas, sendo hoje uma organização mais equipada do que a polícia ou mesmo do que as guarnições locais do Exército. As autoridades reconhecem que o poder da máfia dos morros é absolutamente incontrolável, e ela prossegue, de vitória em vitória, atordoando a polícia, humilhando os governantes, e atribuindo às suas operações criminosas, para cúmulo de descaramento, o sentido épico de uma luta pela libertação dos oprimidos.

Não vou aqui resumir o livro, pois pretendo que o leiam. Nas páginas que se seguem, concentrarei minhas observações antes no que me parece o seu único ponto fraco. Não farei isto para depreciar os méritos da obra, que são elevados, mas justamente para os realçar; pois essa lacuna, que está no diagnóstico das causas e origens profundas do crime organizado, só poderia ser preenchida por uma investigação que iria muito além do seu escopo. O autor, de fato, alude a algumas causas prováveis, mas centraliza sua atenção no fenômeno do Comando Vermelho como tal, sem estender seu exame ao conjunto dos fatores históricos que cercaram, propiciaram e finalmente determinaram o seu surgimento. Não se trata portanto de assinalar aqui algum defeito do livro, mas de sugerir investigações suplementares que dariam matéria para outro livro, ou vários.

***

Uma certeza o livro de Amorim parece deixar definitivamente assentada: o Comando Vermelho nasceu da convivência entre criminosos comuns e ativistas políticos dentro do presídio da Ilha Grande, entre os anos de 1969 a 1978. Ali os militantes esquerdistas ensinaram aos bandidos as técnicas de guerrilha que eles viriam a usar em suas operações criminosas e os princípios de organização político-militar sobre os quais viria a estruturar-se o Comando Vermelho, bem como a fraseologia revolucionária com que o bando hoje glamuriza suas façanhas.

O que não fica claro de maneira alguma é o grau e a natureza da participação das organizações de esquerda na criação do Comando Vermelho, a sua responsabilidade histórica pela eclosão do fenômeno que hoje aterroriza a população carioca e põe em risco a sobrevivência da jovem e frágil democracia brasileira.

Quanto a esse ponto, o autor se contradiz: sua narrativa dos fatos aponta num sentido, suas opiniões no sentido contrário. Eis uma dessas opiniões:

> Os revolucionários nunca pretenderam ensinar criminosos a fazer guerrilhas. Em mais de uma década de pesquisas, nunca encontrei o menor indício de que houvesse uma intenção — menos ainda uma estratégia — para envolver o crime na luta de classes.[27]

Logo, na interpretação do autor, os ensinamentos de guerrilha teriam sido passados aos bandidos de uma maneira natural, espontânea, impremeditada, ao sabor de contatos fortuitos entre indivíduos, e sem qualquer responsabilidade das organizações esquerdistas.

Mas os fatos narrados pelo próprio Amorim desmentem frontalmente essa interpretação. Sem chegarem a dar respaldo à tese policial que vê no Comando Vermelho uma extensão ou um recrudescimento da velha guerrilha revolucionária, eles indicam, no entanto, que o que se passou na Ilha Grande foi algo de bem mais comprometedor do que simples conversas casuais. Poderosos interesses vetam, hoje, uma investigação mais profunda desses episódios. Os prisioneiros políticos de então tornaram-se gente importante, deputados, ministros, procuradores, com poderes suficientes para dissuadir qualquer olhar curioso que se lance sobre um passado que eles preferem manter protegido entre névoas. Não duvido que a ambiguidade do próprio Amorim tenha brotado do prudente desejo de evitar um confronto com

---

27 *Ibid.*, p. 197.

essa gente, cujos partidários e simpatizantes exercem uma completa hegemonia sobre o seu ambiente de trabalho: as redações de jornais. Da minha parte, porém, nada espero deles. No tempo em que eram perseguidos políticos, ajudei-os o quanto pude, escondendo foragidos e armas, redigindo e distribuindo propaganda contra a ditadura, porque via em seus rostos o emblema da verdade, hostilizada pela mentira oficial. Hoje, que estão a um passo do poder, já enxergo em seu semblante a máscara da hipocrisia, que anuncia para breve, neste país, um novo império da falsidade. Todo sacerdócio converte-se, mais cedo ou mais tarde, num culto de si mesmo: tendo outrora servido à verdade, eles hoje tomam o lugar dela no altar de um culto degenerado.

Investigar o sentido dos episódios da Ilha Grande é romper um tabu, é violar o preceito consagrado segundo o qual a maldade, a baixeza, a hipocrisia são monopólio da direita.

***

A convivência entre presos políticos e bandidos comuns é antiga no Brasil, reconhece Amorim. Vem desde 1917, com as primeiras prisões de agitadores sindicalistas e anarquistas. Intensificou-se durante e após a rebelião comunista de 1935. Desde então foi constante e sistemático o esforço dos comunistas para doutrinar criminosos e enquadrá-los na luta política. Um dos líderes de 35, Gregório Bezerra, conta em suas memórias como "transformou guardas penitenciários e bandidos em militantes comunistas". Durante os anos do Estado Novo, conta Amorim, "o contato com intelectuais, militares radicais, políticos e sindicalistas fez a cabeça de punguistas e escroques. A partir dessa convivência, muitos homens deixaram para trás as carreiras no crime e optaram pela militância revolucionária".[28]

---

28 *Ibid.*, p. 51.

Nada disso no entanto provocou a menor alteração de conjunto no mundo do crime:

> Nas ruas, o crime continuava o mesmo: avulso, violento, desorganizado. O fenômeno da conscientização e o surgimento do chamado crime organizado só vão aparecer na década de 70.

Houve portanto aí a introdução de um fator novo, de uma diferença específica no tipo de influência exercido pelos militantes sobre os bandidos. Essa diferença residiu essencialmente no conteúdo das informações transmitidas: em vez de simples doutrinação ideológica, os bandidos receberam ensinamentos práticos, que puderam por em ação tão logo saíram da cadeia. Que ensinamentos foram esses?

Primeiro, princípios de organização, que incluíam desde a estrutura hierárquica e disciplinar do grupo armado até sistemas de comunicação em código.

Em seguida, técnicas de propaganda ou *agitprop*, que lhes permitiram transformar assaltos e sequestros em espetáculos de protesto — "propaganda armada", no jargão esquerdista —, que ganham a simpatia ao menos parcial da população e da *intelligentzia*.

Terceiro, táticas de ação armada. Aqui a lista é grande. Dentre os procedimentos usados pela guerrilha e copiados pelo Comando Vermelho, pode-se destacar os seguintes:

1. Realização de assaltos simultâneos em vários bancos, para desorientar a polícia.

2. Com o mesmo objetivo, bombardear os postos policiais com dezenas de alarmes falsos, no dia dos assaltos planejados.

3. Não sair para uma operação armada sem deixar montado um "posto médico" para atender os feridos (que antes os bandidos deixavam à sua própria sorte, expondo-se à delação por vingança).

4. Em caso de emergência, invadir pequenas clínicas particulares selecionadas de antemão, obrigando os médicos a dar atendimento aos feridos.

5. Planejamento e organização de sequestros.

6. Designar para cada operação um "crítico", que não participa da ação mas apenas observa e assinala os erros para aperfeiçoar a ação seguinte.

7. Planejar as ações armadas com exatidão, de modo a obter no mínimo de tempo o máximo de rendimento com o mínimo derramamento de sangue (hoje o Comando Vermelho consuma em quatro ou cinco minutos um assalto a banco).

8. Técnicas para o bando retirar-se do local da ação em tempo *record*, aproveitando-se da conformação das ruas, do congestionamento, etc., ou provocando deliberadamente acidentes de trânsito.

9. Planejamento cuidadoso de todas as ações, segundo o princípio de Carlos Marighela: "Somos fortes onde o inimigo é fraco. Ou seja: onde não somos esperados".

10. Informação e contra-informação como base do planejamento.

11. Sistema de "aparelhos" — casas compradas em pontos estratégicos da cidade, para ocultar fugitivos após as operações, guardar material bélico etc.

O quarto e último grupo de ensinamentos dizia respeito à seleção das melhores armas para cada tipo de operação, e ainda à fabricação de explosivos apropriados para o uso na guerrilha urbana, como coquetéis-molotov com uma fórmula especial preparada por estudantes de Química e "bombas de fragmentação com pregos acondicionados junto à pólvora e enxofre num tubo de PVC ou numa lata do tamanho de uma cerveja".[29]

O conjunto forma um curso completo de guerrilha urbana, apoiado ainda numa bibliografia especializada, que incluía

---

29 *Ibid.*, p. 67.

O pequeno manual do guerrilheiro urbano, de Carlos Marighela, *Guerra de guerrilhas*, de Che Guevara, e *A Revolução na Revolução*, de Régis Débray, além de *A guerrilha vista por dentro*, de Wilfred Burchett. Este último é apenas uma reportagem feita no Vietnã por um correspondente de guerra inglês; mas entre os militantes era tão prezado quanto as obras de guerrilheiros profissionais, e sua circulação chegou a ser proibida no Brasil durante os governos militares, porque "mostra como o vietcongue fabricava munição, inclusive com uma fórmula para se produzir pólvora caseira. Explica também como funcionava o sistema de túneis para a fuga dos comandos guerrilheiros, com iluminação a partir de geradores movidos a roda de bicicleta. O livro fala ainda dos códigos, do correio baseado em bilhetes entregues de mão em mão, de aldeia em aldeia. Um manual de guerra revolucionária que contém longas explanações de tática e estratégia. Enfim, dinamite pura".[30] Rematavam a bibliografia clássicos da literatura marxista — Marx, Lênin — e obras menores de doutrinação.

Todos esses ensinamentos foram depois levados à prática pelo Comando Vermelho, que demonstrou possuir até mesmo um domínio mais extenso deles do que as próprias organizações guerrilheiras: "O crime organizado foi muito além do que a luta armada tinha conseguido nos anos 70, tanto em matéria de infra-estrutura quanto na disciplina e organização internas".[31] Como bem resumiu o assaltante de bancos Vadinho (Oswaldo da Silva Calil), que viu tudo de perto na Ilha Grande, "os alunos passaram a professores".

***

---

30 *Ibid.*, p. 44.
31 *Ibid.*, p. 70.

Amorim opina enfaticamente que "não houve intenção" de ensinar guerrilha aos bandidos, que a transmissão desses ensinamentos se deu de maneira "involuntária", em resultado espontâneo do "convívio eventual nas cadeias". Diante dos fatos narrados, é difícil acreditar nessa opinião, é difícil mesmo admitir que o próprio Amorim acredite nela. Mais sensato é vê-la como uma concessão verbal: tendo ousado divulgar fatos que são profundamente comprometedores para as esquerdas, Amorim preferiu deixar que a narrativa falasse por si, sem endossar pessoalmente a conclusão que ela impõe. Manha de repórter, que com muita prudência teme mais as línguas de seus colegas de ofício do que as balas do Comando Vermelho.

O que me faz interpretar as coisas desse modo é a desproporção entre a força da narrativa e a timidez dos argumentos em que Amorim sustenta sua opinião. Qualquer principiante do jornalismo sabe que a exposição dos fatos exerce sobre o leitor uma influência mais profunda do que a opinião expressa. A verdadeira intenção de um jornal está na sua maneira de selecionar e ordenar as notícias, e não no que ele afirma nos editoriais. As cabeças dos repórteres funcionam de modo análogo: inteligências antes narrativas do que analíticas, expressam-se mais plenamente contando os fatos do que alinhando argumentos.

O principal argumento que Amorim apresenta em defesa de sua tese é que, ao longo de doze anos, não encontrou indícios ou provas "de uma intenção, menos ainda de uma estratégia" no sentido de os militantes ensinarem guerrilha aos bandidos.

O argumento destrói-se a si mesmo. Em primeiro lugar, não existe prova de intenção, a não ser a lógica mesma do ato, pela qual das conseqüências podemos remontar às causas. Todo ato humano que não possa ser explicado pela mera acidentalidade pressupõe uma intenção, e todo acidente é, por definição, momentâneo: não existem *acidentes continuados*; a mera casualidade não se prolonga, inalterada e uniforme, ao longo dos anos, como um par de dados não prossegue dando seis e seis incansavelmente ao longo das rodadas. *Qualquer ato reiterado é, por si mesmo, prova da sua intenção.* Se um homem fica bêbado uma vez, duas vezes, pode ser sem intenção e por mero efeito acumulado dos tragos mal medidos; mas se quatro ou cinco vezes por semana o encontramos virando novamente o copo até trocar as pernas, será preciso alguma outra "prova" para certificar que ele teve intenção de se embriagar? Ora, a transmissão de ensinamentos de guerrilha prosseguiu, na Ilha Grande, por nada menos que *nove* anos. Que mais será necessário para comprovar uma intenção?

Pode-se ver a coisa por um segundo ângulo. Uma intenção nada mais é do que a previsão de uma conseqüência, somada ao desejo de provocar essa conseqüência. Só podemos, portanto, supor ausência de intenção quando um homem não está em condições de prever as conseqüências de seu ato. Se um marido furioso desfere um tabefe na esposa e a manda para o hospital, podemos admitir que o brutamontes não mediu sua força; mas depois de uma longa série de internações da infeliz, devemos supor que ele ainda não avaliou corretamente a proporção entre o empuxe da porrada e suas conseqüências hospitalares, ou que ele teve a intenção de desencadear precisamente essas conseqüências? Quanto aos nossos guerrilheiros, a hipótese da ausência de intenção pressupõe que fossem incapazes de atinar com o uso que os discípulos fariam de seus ensinamentos. Se um deles, uma vez ou outra, desse com a língua nos dentes, poderia ser coincidência. Mas vários deles transmitindo informações seguidamente ao longo dos anos, sem jamais atinar com as conseqüências do que faziam, é mais do que a credulidade humana pode admitir.

Provas externas só são necessárias quando a lógica dos fatos não fala por si, quando nos fatos há algo de ambíguo que admite interpretações variantes, o que não é o caso. Mas Amorim absolve os guerrilheiros justamente com base na ausência desse tipo de provas. E acontece que mesmo estas não estão realmente ausentes. Querem ver?

Só existem no mundo três tipos de provas: materiais, documentais e testemunhais.

A prova material está lá: a presença dos livros, dos manuais de guerrilha nas mãos dos bandidos é prova de que alguém os entregou a eles. Entregar um livro comprova, manifestamente, o intuito de transmitir informações, e de fazê-lo de maneira mais completa do que se poderia em meras conversas de ocasião.

Os livros citados por Amorim eram obras raras, de tiragem limitada e circulação proibida, que só se encontravam, quando se encontravam, nas mãos de militantes diretamente envolvidos nas organizações da esquerda armada. O de Régis Débray circulou num volume impresso clandestinamente pela ala marighelista do PC, e o de Guevara era uma apostila mimeografada, de pouquíssimos exemplares. Mesmo o de Burchett (Amorim escreve "Bulcher", mas a grafia certa é Burchett), que saiu por uma editora comercial (Civilização Brasileira), teve tiragem reduzida e logo foi apreendido, sobrando em circulação uns poucos exemplares que os militantes de esquerda disputavam a tapa. Não eram, enfim, livros de interesse geral, que se dessem a alguém para ler por mero passatempo, mas manuais de ensino técnico, dirigidos a um público especializado. Transmitir esses livros aos bandidos é algo mais do que manifestar uma intenção de ensinar guerrilha: é *realizar* essa intenção.

Quanto a provas *documentais* que atestassem uma decisão das organizações de esquerda de promover o ensino de guerrilhas, só poderiam consistir em atas de reuniões dos comitês de presos políticos, que declarassem formalmente essa intenção. Mas os prisioneiros políticos teriam de ser doidos ou suicidas para registrar uma decisão desse teor em atas que certamente iriam parar nas mãos da direção do presídio mais dia menos dia. Aliás eles nunca fizeram ata de decisão nenhuma, pela mesmíssima razão. Se o historiador fosse hoje depender de atas para estudar esse período, não teria sequer uma prova de que os comitês de presos políticos chegaram a existir. Uma prova documental, no caso, não é exigível. Presos políticos não fazem atas, tal como não se fazem atas de uma reunião de meliantes para planejar um assalto a banco. O argumento da falta de provas não vale, portanto, para provas documentais.

Restam, ainda, as provas testemunhais. Estas são ambíguas. Amorim aliás só cita duas. Vadinho afirma que houve ensinamento. O então prisioneiro político e depois (no governo Brizola) diretor do mesmo presídio da Ilha Grande, José Carlos Tórtima (hoje procurador do Estado), proclama que não:

> — É uma mentira essa história de que os presos comuns aprenderam como se organizar e noções de guerrilha urbana com os presos políticos. *O conteúdo ideológico deles é de tal forma individualista que de maneira nenhuma poderiam absorver a proposta de apoio coletivo...* Repudio claramente qualquer insinuação de que os presos comuns foram formados pelos políticos. *Isso é um mito veiculado pela direita.*[32]

O dr. Tórtima é, pelo visto, um desses devotos esquerdistas, para quem a sentença "É de direita!" constitui, em si e por si, uma prova fulminante contra qualquer argumento. Algo assim como o *Roma locuta, causa finita*, um rótulo fatal que, colado a uma idéia, basta para invalidá-la para todo o sempre.

Se ele não pensasse assim, teria procurado calçar melhor seu testemunho, citando fatos em vez de dispensar-se de fazê-lo, confiado na força exorcizante da frase mágica.

Pois, na verdade, o seu não é um testemunho; é um parecer, uma opinião, que opõe à abominável tese direitista um argumento de probabilidade lógica: individualistas ferrenhos não podem, em princípio, absorver uma proposta de ação coletiva, ou pelo menos é muito pouco provável que o façam.

De um ponto de vista hipotético e abstrato, devemos dar razão ao dr. Tórtima: a lei das probabilidades está com ele. Mas, em primeiro lugar, é estranho que uma testemunha, chamada

---

32 *Ibid.*, p. 77-78, grifos meus.

a mostrar a *falsidade* de uma alegação, se limite a demonstrar sua *improbabilidade*. Raciocinamos por probabilidades quando não temos acesso aos fatos, quando, não sabendo o certo, só nos resta conjeturar sensatamente. Testemunhas não conjeturam: testemunhas narram.

Se passamos da conjetura para os fatos, a conversa muda. Hipoteticamente, a absorção da proposta de apoio coletivo pelos individualistas era de fato improvável; mas o próprio livro de Amorim mostra bem claro que o improvável se realizou: que não somente os marginais absorveram a proposta, como também a puseram em prática com mais rigor, eficiência e amplitude do que os próprios militantes políticos; e, organizando-se melhor do que eles, chegaram ainda a coordenar o "apoio coletivo" da população pobre dos morros cariocas, superando tudo o que em matéria de arregimentação popular os guerrilheiros haviam sequer sonhado: "Os alunos tornaram-se professores".

De que vale o argumento de improbabilidade, diante da prova do fato consumado? Diante desse fato, o que vemos é o argumento do dr. Tórtima voltar-se a favor da tese que ele enfaticamente repudia, contra a que defende. Se era pouco provável que os individualistas anárquicos absorvessem a proposta de apoio coletivo mesmo quando esta lhes fosse transmitida por hábeis e solícitos professores de guerrilha, *muito menor, para não dizer nula*, seria a probabilidade de que o fizessem tão-somente pelo esforço próprio e sem nenhuma ajuda pedagógica. O esforço necessário para aprender sozinho é significativamente maior do que o requerido para seguir as lições de um bom professor. Se, portanto, os individualistas desorganizados se tornaram eficientes organizadores coletivos, o mérito muito provavelmente não é só deles, nem só deles a culpa pelo tipo de coisa que vieram a organizar.

De passagem, a desastrada argumentação do dr. Tórtima derruba também as opiniões do próprio Amorim em favor do caráter fortuito e impremeditado dos ensinamentos de guerrilha. Se os bandidos comuns eram uns individualistas anárquicos, como poderiam colocar em boa ordem fragmentos de informação colhidos aqui e ali em conversações casuais, a ponto de compor com eles uma técnica racional apta a desenvolver-se em amplas e notáveis aplicações práticas? Seria preciso um QI fora do comum, mas mesmo gênios teriam alguma dificuldade em aprender organização tão desorganizadamente. Com toda a franqueza: pedir que acreditemos que homens primitivos, bárbaros, indisciplinados e volúveis conseguiram apreender os complexos princípios de organização político-militar da guerrilha urbana tão-somente ciscando aqui e ali uns pedaços de conversas e depois transformar essa maçaroca informe numa técnica de grande eficácia, é realmente fazer pouco da nossa inteligência.

Contar com a credulidade alheia é aliás um vício da esquerda brasileira, adquirido nos anos que se seguiram à queda da ditadura. A revelação das torturas, dos cadáveres escondidos, confirmando denúncias que antes a opinião oficial desqualificava como invencionices de agitadores, desmoralizou a direita e elevou às alturas a credibilidade da esquerda. Desde então esta vem abusando do crédito para nos fazer engolir patranhas e calúnias de toda sorte, sem outra garantia senão a de terem sido proferidas por quem nos disse a verdade uma vez. Até quando as atrocidades da direita serão fiadoras das mentiras da esquerda?

O que o dr. Tórtima nos impinge como testemunho não poderia mesmo valer nada, pois a "testemunha" saiu da cadeia em 1971, antes, portanto, da fase decisiva de formação do Comando Vermelho, sobre a qual ele sabe só o que leu nos jornais, se é que os leu. Isto aliás confirma o caráter muito provavelmente calunioso de insinuações que o acusem de envolvimento *pessoal* no ensino de guerrilha aos bandidos. Mas o fato de ele estar inocente não o qualifica para inocentar outros, dos quais nada sabe. Qual, no entanto, o esquerdista brasileiro que recusará falar em público sobre um assunto do qual ignora tudo, se o convite lhe servir de ocasião para dar umas alfinetadas na "direita"?

Acreditar que o "testemunho" do dr. Tórtima baste para absolver alguém além dele mesmo exigiria que a nossa fé removesse montanhas. Destituídos da fé, façamos algo que, no Brasil de hoje, se tornou sinal de impiedade: raciocinemos.

Raciocínio I: o livro de Carlos Amorim informa que os militantes esquerdistas, uma vez encarcerados, procuraram fortalecer a unidade disciplinar de suas organizações, para poderem resistir ao ambiente hostil. De outro lado, o mesmo livro deseja que acreditemos que homens assim afeitos a uma disciplina espartana deixaram escapar, em amenas conversas informais com os detentos comuns, todos os segredos de técnica militar e de organização política que constituíam o sangue e os nervos da revolução. Quer que acreditemos que esses homens de ferro, capazes de resistir à tortura física e psicológica para não entregar nenhum segredo aos policiais, deram tudo aos bandidos, de mão-beijada, por mera desatenção; que de conversa em conversa foram deixando vazar teoria marxista, princípios de *agitprop*, técnicas militares, métodos de organização, enfim todo o conhecimento de guerrilha urbana então disponível, sem jamais se dar conta de que estavam ensinando guerrilha nem ter a mais mínima intenção de fazê-lo. Nunca ouvi uma coisa mais doida na minha vida.

Raciocínio II: se, ao contrário dos presos comuns, individualistas anárquicos, os militantes eram socializados, politizados e disciplinados, então certamente nada faziam de importante sem prévia consulta ao "coletivo". Logo, das duas uma: ou a transmissão de ensinamentos de guerrilha aos bandidos foi autorizada pelo coletivo, ou foi feita em flagrante desobediência à sua proibição. Nesta última hipótese, devemos entender que, malgrado o alto grau de politização ali reinante, reinava também a mais completa anarquia, de modo que o coletivo não conseguia controlar as veleidades individuais de seus membros e os deixava à solta para que, como verdadeiros individualistas anárquicos, fizesse cada qual o que bem lhe desse na telha. É claro que, neste último caso, os presos políticos não teriam podido resistir às pressões do ambiente nem muito menos fazer, como disse o dr. Tórtima, "que os bandidos se acomodassem às nossas regras". Então não há dúvida: transmitir aos bandidos ensinamentos de guerrilha *não pode* ter sido uma decisão deixada ao arbítrio individual. Amorim diz muito claro que, pelo menos a partir de 1975, etapa decisiva na formação do Comando Vermelho, as relações entre presos comuns e presos políticos não se davam de indivíduo a indivíduo, mas de comitê a comitê.

Raciocínio III: se os livros, os manuais de guerrilha, estavam proibidos de circular em todo o território nacional, muito mais o estavam entre os muros da prisão. Introduzi-los ali e fazê-los circular, mesmo exclusivamente entre militantes, era grande temeridade. Transferi-los a bandidos comuns, gente isenta de qualquer compromisso ideológico e de toda confiabilidade moral, era certamente expor-se a risco de delação, *a não ser que houvesse um acordo prévio entre o comitê dos políticos e o dos presos comuns, com previsão de graves sanções contra os faltosos.* Hipóteses contrárias, só há duas: ou os presos políticos entregavam aos bandidos obras de Che Guevara e Carlos Marighela por mero descuido, folgadamente como quem distribui a crianças exemplares de *Luluzinha* e *Tio Patinhas*; ou então os presos comuns é que tinham um organizadíssimo serviço de espionagem capaz de burlar a vigilância dos políticos e surrupiar uns quantos exemplares das obras explosivas ciosamente guardadas. Mas, se era improvável que militantes tão descuidados sobrevivessem na Ilha Grande, muito mais o seria que os "individualistas" anárquicos lograssem montar um serviço de espionagem tão eficiente.

***

O testemunho de Tórtima e as opiniões de Amorim, portanto, caem por terra. O que fica de pé é a narrativa de Amorim, a sustentar, com eloquência terrível, a conclusão que o autor não quis endossar pessoalmente: ou os militantes de esquerda ensinaram guerrilha aos bandidos com um propósito deliberado, ou então a aquisição desse conhecimento pelos líderes do Comando Vermelho é o mais prodigioso milagre de absorção espontânea já registrado nos anais da pedagogia universal. Deixo esta hipótese para os adeptos da tese segundo a qual Deus é brasileiro. Quanto à outra, resta discutir se o propósito dos esquerdistas foi cooptar os bandidos para a luta armada sob seu comando ou simplesmente o de vingar-se pela derrota da guerrilha deixando para o governo militar a semente do futuro tormento do banditismo organizado. Pode ter sido uma mistura das duas coisas.[33] Alguns policiais apostam na primeira, jurando que o Comando Vermelho é uma extensão e recrudescimento da guerrilha urbana, um novo braço armado das esquerdas. Esta certeza tem o mesmo fundamento daquela do dr. Tórtima: uma opção ideológica prévia que faz ver tudo torto, ou tórtimo.[34] Deixarei esta

---

33 Ao escrever este Apêndice, não tive a intenção de diagnosticar positivamente a intenção com que os militantes ensinaram guerrilha aos bandidos; quis apenas afastar, por absurda, a hipótese de *ausência de intenção*. Alguns leitores pediram-me depois conclusões positivas, que eu não estava e não estou em condições de oferecer, já que elas só podem ser obtidas por uma sondagem histórica e documentada, que ultrapassa meu escopo e meus recursos. A título de mera hipótese, notem bem, e sem qualquer pretensão de acertar, conjeturo no entanto que pode ter havido, entre os militantes esquerdistas, uma duplicidade ou obscuridade de intenções — alguns propondo explicitamente a integração do banditismo na luta de classes, outros rejeitando-a como inviável mas desejando-a no fundo e, enfim, colaborando com ela mais ou menos às tontas. A posterior recusa de admitir a intenção surgiria, então, menos como uma mentira consciente do que como um caso nítido de *falsa consciência*, tão comum entre os militantes de uma falsa causa. Isto, é claro, não atenuaria em nada a culpabilidade moral das esquerdas como conjunto, mas sim, ao menos em parte, a de seus membros individualmente considerados. E não haveria aí grande novidade, pois há um século o comunismo vive de levar homens bons a compactuar com o mal, corrompendo-os mediante o apelo da lealdade ao grupo. Mas tudo isto, acentuo, é mera hipótese. O certo é que *alguma* intenção existiu, e foi uma intenção de fazer precisamente o que se fez [nota da 2ª edição].

34 Os mitos e ilusões da direita dariam um volume bem mais grosso do que este. Apenas, eles já foram inventariados e dissecados exaustivamente, ao longo de três décadas, por um exército de investigadores esquerdistas armados do melhor instrumental diagnóstico pérfuro-cortante, e não estou disposto a chover no molhado. Os esquerdistas que lerem este livro verão agora como é bom sentir-se vasculhado, virado do avesso, ter suas intenções mais ocultas exibidas em público. O que eles fizeram com a direita foi justo e merecido, mas eles também merecem a sua quota de *striptease* moral compulsório, que aqui lhes forneço em doses até mesmo modestas [nota da 2ª edição].

questão para outra oportunidade, advertindo apenas que ela não pode ser resolvida pelo método das apostas sentimentais. Mas, qualquer que tenha sido o caso, uma coisa é certa: se os militantes da esquerda armada treinaram bandidos-guerrilheiros dentro da prisão, os da esquerda desarmada, fora dela, estão dando seguimento coerente à sua iniciativa, na medida em que ajudam o Comando Vermelho a conquistar uma posição de força como "liderança popular" legitimada artificialmente, e o integram assim na estratégia global da esquerda, já não como força militar, e sim política. Se os jovens guerrilheiros de 1968 não tinham uma estratégia definida para aproveitar-se politicamente do banditismo, os velhos políticos esquerdistas de 1994 estão lhes dando uma, retroativamente. Não se trata de uma ponte entre gerações: é que estes velhos, simplesmente, são aqueles jovens, adestrados pelo tempo. Os jovens matavam e roubavam pela revolução; os velhos tiram dividendos políticos de assaltos e homicídios praticados por outros. Servem-se do banditismo duplamente: ao protegê-lo e ao denunciá-lo. No primeiro caso, ganham — ou pelo menos tencionam ganhar — os votos da população pobre, que supõem obediente ao Comando Vermelho; no segundo, servem-se dele como pretexto para denunciar a corrupção da sociedade capitalista. Alimentam o mal para poder acusá-lo, o que é, sem exagero, o tipo da malícia propriamente diabólica, imitando o tinhoso no seu duplo e inseparável papel de tentador e acusador.[35] Se a idéia de cooptar os bandidos para a luta armada era uma fantasia insensata, se o desejo de vingar-se da ditadura era uma pirraça juvenil, uma esquerda mais madura e experiente está

---

[35] É de estranhar que pessoas capazes desse tipo de manipulação ardilosa tendam a uma visão paranoicamente conspiratória da vida política, enxergando por toda parte — projetivamente, como diria o dr. Freud — tramóias ocultas e "governos paralelos"? Se há neste país um poder secreto, é a esquerda, na verdade, quem o exerce, por meio da hegemonia gramsciana, ludibriando a opinião pública para levar este país de crise em crise e de espanto em espanto. O uso e abuso da espionagem política, o controle do fluxo de informações, o domínio oculto sobre a imaginação das massas são, por definição, o exercício de um poder secreto, que conta hoje com os serviços de profissionais altamente treinados em informação e contra-informação, como o deputado José Dirceu, por exemplo.

sabendo reaproveitar e tirar vantagem política daquilo que, entre névoas, foi gerado na Ilha Grande. A quem poderia ser doce esse fruto senão a quem, de olho no futuro, plantou a sua semente?

O BRASIL DO PT

A entrevista do teórico do PT, Marco Aurélio Garcia, no *Jornal da Tarde* de 12 de janeiro, mostra que, por trás de uma tranqüilizante fachada moderninha, esse partido não tem nada a propor senão o bom e velho comunismo.

1. Segundo o entrevistado, o governo do PT não será socialista. Os ingênuos tomam esta promessa como uma garantia. Mas, prossegue Marco Aurélio, esse governo será uma "democracia popular" e constituirá "um aperfeiçoamento do capitalismo" com vistas a "um horizonte socialista" — um horizonte vago e indistinto o bastante para não alarmar o eleitorado. O que o eleitorado, novo e inculto, ignora por completo é que aperfeiçoar o capitalismo para chegar ao socialismo não é nenhuma proposta nova, mas sim a única estratégia de governo comunista que já existiu e a única que poderia existir, já que, segundo Marx, o socialismo não pode ser implantado antes que o capitalismo desenvolva suas potencialidades até o esgotamento. A função do governo de transição, "democrático-popular", é acelerar esse esgotamento. Na Rússia, essa fase intermediária chamou-se NEP, Nova Política Econômica, implantada por Lênin logo após a tomada do poder pelos comunistas. Se o próprio Lênin, subindo ao poder no bojo de uma revolução armada, não implantou logo o comunismo, e sim apenas um "capitalismo aperfeiçoado", por que o PT haveria de fazer mais, levado ao poder pela via gradual e pacífica do gramscismo?

2. Marco Aurélio Garcia, prosseguindo na linha tranqüilizante, assegura que os empresários nada perderão e terão tudo a ganhar no Brasil petista: "Se queremos desenvolver um grande

mercado de massas, é claro que grande parte da burguesia vai tirar proveito disso". Mas é exatamente o que dizia Lênin: não se pode fazer a transição para o socialismo sem que, na passagem, a burguesia ganhe um bocado de dinheiro com o incremento dos negócios. Nisto consistiu precisamente a NEP. Mas não se pense que os comunistas fiquem tristes com a súbita prosperidade dos seus desafetos.[36] Ao contrário: acenando com a promessa de ganhos rápidos, o governo comunista faz trabalhar em favor da revolução a cobiça imediatista dos burgueses, cumprindo a profecia de Lênin: "A burguesia tece a corda com que será enforcada". O truque é simples: com o progresso rápido do capitalismo, cresce também rapidamente o proletariado, base de apoio do governo comunista. Tão logo esta base esteja firme para sustentar o governo sem a ajuda dos burgueses, o governo puxa o laço. Em seguida os burgueses mortos ou banidos são substituídos em suas funções dirigentes por uma nova classe de burocratas de origem proletária ao menos nominal.

3. Garcia diz que o PT quer um "Estado forte", dotado de "mecanismos de controle do Parlamento, da Justiça, do Tribunal de Contas e das estatais". Mas que diabo é isto senão o totalitarismo mais descarado? Nas democracias, a autonomia dos três poderes tem sido um mecanismo confiável e suficiente para o controle do poder. O que o PT advoga é que dois desses poderes sejam controlados por um terceiro, o Executivo, desde o

---

[36] Sobretudo quem pode lucrar muito nessa transição é a burguesia estrangeira com negócios no local. É claro que depois o dinheiro vai embora junto com ela. Leiam Armand Hammer, *Um capitalista em Moscou*, trad. Alberto Magno de Queiroz e Jusmar Gomes, São Paulo, Best-Seller, 1989. Com o que ganhou na NEP, o norte-americano Hammer, amigo de Lênin, montou a Occidental Petroleum, que se tornou o 12º maior complexo industrial dos EUA. É suma ingenuidade acreditar que o governo petista não poderá andar de mãos dadas com o capital estrangeiro: a briga dos petistas é com a classe dominante local, e um dos objetos em disputa é justamente o apoio estrangeiro. Estão longe os dias da velha esquerda nacionalista, da aliança entre comunistas e "burguesia nacional" contra o imperialismo. O quadro internacional é outro, e os líderes do PT não são nacionalistas: são apenas comunistas. Para tomar o poder, não hesitarão em fazer uma aliança com o capital internacional contra a burguesia local, invertendo a fórmula antiga. É óbvio que pelo menos estão tentando [nota da 2ª edição].

momento em que este caia nas mãos do sr. Luís Inácio Lula da Silva. Nesta hipótese, dará na mesma que o Executivo policie os outros dois poderes diretamente, numa ditadura ostensiva, ou que o faça por intermédio de organizações autonomeadas representantes da sociedade civil — sindicatos, ONGs, grupos de intelectuais, grêmios estudantis — e controladas, por sua vez, pela facção política dominante, isto é, pelo PT: em ambos os casos, o que teremos será o crescimento hipertrófico do poder e seu absoluto descontrole.

4. Interrogado sobre o destino que o governo petista dará às Forças Armadas, Garcia responde, com toda a clareza de quem diz exatamente o que pensa: mudar a Constituição, para que as Forças Armadas deixem de ter, entre suas atribuições, a de combater inimigos internos, e passem a se incumbir exclusivamente da defesa das fronteiras nacionais. Ora, mandadas para a fronteira, desligadas do combate a inimigos internos, as Forças Armadas estarão duplamente impedidas — pela obrigação constitucional e pela distância — de mover um só dedo contra o crime organizado, que, sob aplausos de uma certa intelectualidade esquerdista, já domina um Estado da Federação. Se, ampliando o que hoje acontece no Rio, uma aliança entre políticos e delinqüentes atear fogo ao país inteiro, as Forças Armadas nada poderão fazer contra isso, porque estarão, fiéis ao dever constitucional, aquarteladas num cafundó amazônico, velando contra a iminente invasão boliviana ou talvez dando nos *marines* uma surra de fazer inveja ao vietcongue.

Mas será estranho que um dirigente petista alimente esse projeto insano, quando seu partido também tem, entre seus principais quadros teóricos, um tal sr. César Benjamin, biógrafo-apologista do fundador do Comando Vermelho? Recordemos: escrito com a ajuda deste teórico petista, o livro em que o quadrilheiro William Lima da Silva faz a apologia do crime foi publicado pela Editora Vozes, da esquerda católica, e lançado, com noite de autógrafos e muita badalação, em cerimônia realizada na sede da ABI em

1991. Apesar do que dispõe o Art. 287 do Código Penal, ninguém foi processado. Alguns vêem em fatos como esse perigosos sinais de ligações entre as esquerdas e o crime organizado. Se há ou não aí uma aliança política subterrânea, é algo que só o tempo dirá. Mas que as esquerdas estão ligadas ao Comando Vermelho pelo passado comum e por uma profunda afinidade "espiritual" baseada no culto dos mesmos mitos e dos mesmos rancores, é coisa que está fora de dúvida. E como os senhores do crime não haveriam de sentir essa afinidade como um verdadeiro reconforto, diante da promessa petista de tirar do seu caminho o único obstáculo que ainda pode inibir suas ambições?[37]

A proposta petista de aumentar a dotação orçamentaria das Forças Armadas em troca de retirar delas a responsabilidade pelo combate ao inimigo interno é puro suborno, em que o PT veste implicitamente a carapuça de inimigo interno. Se ainda existe consciência estratégica entre os militares, a proposta indecente será repelida.

5. Enfim, se Marco Aurélio Garcia procura aplacar o temor ante o espectro comunista dizendo que o regime petista não será socialismo e sim "democracia popular", também nisto não há novidade alguma: *todos* os regimes comunistas se intitulavam "democracias populares".

O PT, seguindo a lição de Hitler, não se dá sequer o trabalho de ocultar o que pretende fazer: anuncia seus planos abertamente, contando com a certeza de que o *wishfulthinking* popular dará às suas palavras um sentido atenuado e inocente, sem enxergar qualquer periculosidade mesmo nas ameaças mais explícitas. Afinal, quanto mais assoberbado de males se encontra um povo, mais ansioso fica de crer em alguma coisa e menos disposto a

---

37 No instante em que envio à gráfica esta 2ª edição, a revista *Interview* de julho de 1994 inicia uma campanha pela libertação do "Professor" William Lima da Silva. A intelectualidade esquerdista *chic* é fértil na produção de "heróis populares" postiços, quando lhe interessa. Mas se bandidos da espécie do "Professor" fossem tão queridos do povo quanto se deseja fazer crer, o Exército não seria tão bem recebido quando sobe aos morros [nota da 2ª edição].

encarar com realismo a iminência de males ainda maiores. Nessas horas, a maneira mais segura de ocultar uma intenção maligna é proclamá-la cinicamente, para que, tomada como inverossímil em seu sentido literal, seja interpretada metaforicamente e aceita por todos com aquela benevolência compulsiva que nasce do medo de ter medo. Quando Hitler prometeu dar um fim aos judeus, também foi interpretado em sentido metafórico.

A predisposição da opinião pública para não enxergar o risco evidente nasce, por um lado, da própria hegemonia que as ideologias de esquerda exercem sobre o nosso panorama cultural, impondo viseiras psicológicas mesmo a pessoas que, politicamente, divergem da esquerda. A política é apenas uma superfície da vida social, e de nada adianta divergir na superfície se, no fundo — nas convicções morais, nos sentimentos básicos, nas atitudes vitais elementares — copiamos servilmente o figurino mental do adversário.

Nasce, por outro lado, da ilusão de que o comunismo está morto. É um excesso de ingenuidade — ou, talvez, medo de ter medo — supor que o fracasso do comunismo no Leste europeu liquidou de vez as ambições dos comunistas em toda parte. O ressentimento move montanhas, dizia Nietzsche. Particularmente no Brasil, é muito profunda nas esquerdas a aspiração mítica de alcançar uma vitória local que, pelo seu próprio caráter inesperado e tardio, possa resgatar a honra do movimento comunista humilhado em todo o mundo. Permitir que o PT realize seus planos de "democracia popular", sob o pretexto de que o comunismo é um cavalo morto, é arriscar-se a um coice que provará a vitalidade do defunto.

Ademais, o movimento das idéias no Brasil não acompanha *pari passu* a evolução do mundo, mas fica sempre atrás. Em 1930, quando o positivismo de Augusto Comte já era peça de museu no seu país de origem, uma revolução tomou o poder no Brasil inspirada no modelo positivista do Estado. O espiritismo, moda européia que morreu por volta da Primeira Guerra sem nunca mais reencarnar, ainda é no Brasil quase uma religião oficial. Nossos intelectuais ainda estão empenhados no combate ao lusitanismo em literatura, quase um século depois de rompido o intercâmbio literário entre Brasil e Portugal. As velhas religiões africanas, que os negros de todo o mundo vão abandonando para aderir ao islamismo, aqui vão conquistando novas massas de crentes entre os brancos. Enfim, o tempo nesta parte do mundo corre ao contrário. Por que o comunismo, morto ou moribundo em toda parte, não poderá ressurgir neste país, fiel ao atraso crônico do nosso calendário mental? Pelo menos é o que nos promete a entrevista de Marco Aurélio Garcia: se depender dele, não falharemos em nossa missão cósmica de coletores do lixo refugado pela História.

Homens de formação arraigadamente marxista, insensíveis durante toda uma vida a quaisquer outras correntes de idéias, simplesmente *não podem*, no breve prazo decorrido desde a queda do Muro de Berlim, ter feito uma revisão profunda e séria de suas convicções. Mudanças, se houve, foram epidérmicas, para não dizer simuladas. A força atrativa do messianismo comunista não acabou: refluiu para a obscuridade, de onde, vitalizada pelo apelo nostálgico e pela ânsia de um *renouveau* transfigurador, está pronta a ressurgir ao menor sinal de uma oportunidade. Declarações improvisadas de arrependimento nada significam, sobretudo em homens que, habituados por uma praxe do cerimonial comunista a utilizar-se de rituais de "autocrítica" como instrumentos de sobrevivência política, acabaram por assimilar profundamente o vício da linguagem dúplice, a ponto de torná-la uma segunda natureza. Um século de história do comunismo prova que nada iguala a capacidade da esquerda de tapar os próprios ouvidos à verdade, senão a sua habilidade de desviar dela os olhos alheios. A pressa mesma com que alguns próceres comunistas compareceram ante as câmeras de TV para declarar a falência do comunismo é suspeita, uma vez que em nenhum deles a desilusão foi profunda a ponto de fazê-lo desejar abandonar a política. Do dia para a noite, desvestiram a camisa soviética, vestiram um modelito novo, e sem mais delonga reapareceram, prontos para outra, com o maior vigor e animação, discursando com aquela certeza, com aquela segurança de quem jamais tivesse sido desmentido pelos fatos. Acredite nessa gente quem quiser.

Da minha parte, não duvido de todos os comunistas. Acredito em Antonio Gramsci, quando diz que o Partido é o novo "Príncipe" de Maquiavel, e acredito em Bertolt Brecht, quando diz que para um comunista a verdade e a mentira são apenas instrumentos, ambos igualmente úteis à prática da única virtude que conta, que é a de lutar pelo comunismo.

NOTA

Aos que, lido este apêndice, enxergarem no autor um hidrófobo antipetista, advirto que votei em Lula para presidente e o faria de novo, com prazer, se ele tomasse as seguintes providências:

1. Banir do seu partido o elenco de *vedettes* intelectuais que, formadas numa atmosfera marxista, e apegadas a ela como um bebê à saia da mãe, insistem em manter aprisionado nela o movimento socialista que anseia por novas idéias. Exorcizar de vez os fantasmas de Marx, Lênin, Débray, Althusser, Gramsci e *tutti quanti*, e permitir que a idéia socialista cresça livre de gurus e totens. Quando Lula diz que nossas elites viveram "com os olhos voltados para a França e a bunda voltada para o Brasil", não percebe ele que isso é uma descrição exata da elite intelectual petista, e esquerdista em geral?

2. Reprimir o uso de táticas de movimento clandestino e revolucionário, que são indecentes num partido que professa conviver democraticamente com outros partidos num Estado de direito. Infiltração, espionagem, delação, boicote moral podem ser necessários e inevitáveis a um movimento de oposição que

queira sobreviver numa ditadura. Em regime de liberdade, são práticas intoleráveis, principalmente em políticos que posam de professores de ética. Quando os apóstolos da ética citam como um exemplo para o Brasil o que os americanos fizeram com Nixon após o caso *Watergate*, esquecem de dizer que Nixon não caiu por causa de um desvio de verbas, mas por causa da prática de espionagem. Se a corrupção é um crime, a espionagem é um *ato de guerra*, que destrói, pela base, o edifício democrático.

Lula é um homem decente e, como disse Francisco Weffort, é alguém maior do que o seu partido. Se ele se utilizar da tremenda força do seu prestígio para exterminar esses dois vícios, o marxismo e o clandestinismo, o Partido dos Trabalhadores se transformará naquilo que seu nome promete, deixando de ser apenas o partido da nostalgia comunista.[38]

---

38 Os analistas do fenômeno petista caem todos em erros elementares. O primeiro é tentar compreender o partido por seu programa e não por sua prática atual. O mais primitivo bom-senso indica que se conhece um homem menos por suas intenções declaradas do que por seu comportamento efetivo. O programa do PT, resultado de mil e um acordos entre tendências conflitantes, revela-nos menos sobre esse partido do que a sua organização e o seu modo de agir. O programa pode ser igual ao de qualquer partido socialista ou social-democrático do mundo, e até ser mais brando em certos pontos. Mas a organização do PT não é a de um partido eleitoral, feito para entrar e sair do poder ao ritmo normal dos resultados das urnas, mas sim a de um partido revolucionário, construído para *tomar* o poder. Um partido eleitoral não precisa de células organizadas nas empresas, não precisa infiltrar-se nos escritórios dos adversários, não precisa espionar, não precisa apoiar movimentos paramilitares, não precisa sabotar a administração incentivando a hostilidade de policiais armados contra o governo. Se ele fizer qualquer dessas coisas, estará fora, automaticamente, da legalidade democrática que o constitui como partido. Mas esses procedimentos, anormais num partido normal, são a norma mesma dos partidos revolucionários, hostis a toda rotatividade do poder e dispostos a instalar-se nele de uma vez para sempre. Provavelmente a maioria dos militantes do PT não tem a menor consciência dessa diferença, e de fato não precisa tê-la para colaborar docilmente com os intuitos de uma elite dirigente que sabe o que quer e que, por sabê-lo, não o declara. Os militantes estão para a elite como os mencheviques estavam na Rússia para os bolcheviques.

O segundo erro está em supor que a pluralidade de correntes conflitantes dentro do PT o enfraquece de algum modo. Só precisam de unidade doutrinal os partidos socialistas democráticos e constitucionais, feitos para concorrer com os outros num sistema de rotatividade do poder, bem como os partidos comunistas já instalados no poder e ocupados em unificar uma nação sob a bandeira de uma doutrina única. Um partido revolucionário em luta pelo poder funciona exatamente ao contrário: ele *necessita* da pluralidade de tendências, em parte para tirar vantagem da confusão, em parte para ampliar sua margem de

BANDIDOS & LETRADOS[39]

Entre as causas do banditismo carioca, há uma que todo o mundo conhece mas que jamais é mencionada, porque se tornou tabu: há sessenta anos os nossos escritores e artistas produzem uma cultura de idealização da malandragem, do vício e do crime. Como isto poderia deixar de contribuir, ao menos a longo prazo, para criar uma atmosfera favorável à propagação do banditismo?

De *Capitães da areia* até a novela *Guerra sem fim*, passando pelas obras de Amando Fontes, Marques Rebelo, João Antônio, Lêdo Ivo, pelo teatro de Nelson Rodrigues e Chico Buarque, pelos filmes de Roberto Farias, Nelson Pereira dos Santos, Carlos Diegues, Rogério Sganzerla e não-sei-mais-quantos, a palavra-de-ordem é uma só, repetida em coro de geração em geração: ladrões e assassinos são essencialmente bons ou pelo

---

alianças até a tomada do poder, quando então os dissidentes serão banidos e se instalará a unidade monolítica.

Um terceiro erro é procurar indícios de corrupção financeira para atacar o PT pela mesma via por onde ele ataca seus adversários. Bobagem. A corrupção financeira é própria de quem está no poder, e o PT nunca esteve. A corrupção petista não é financeira: é uma corrupção política, moral e psicológica. Ela consiste em perverter até o fundo os meios de atuação política e mesmo cultural, os critérios de julgamento e a consciência moral dos indivíduos e das massas. Se ninguém entre seus adversários percebe isto, é porque são também pessoas insensíveis a qualquer exigência moral fora dos cânones corriqueiros da ética comercial. De certo modo, eles merecem a surra que estão levando.

Se, vendo que falo mal dos dois lados, me perguntam agora o que proponho, digo que nada. Apenas, se fosse lícito sonhar, eu não sonharia nem com a permanência da oligarquia no poder, nem com a vitória do PT tal como ele hoje se apresenta. Sonharia com uma reforma moral do próprio PT, que, renunciando ao propósito revolucionário de "tomar o poder" e a todo método golpista ou revolucionário de atuação, poderia transformar-se no grande partido socialista que, numa futura e ideal democracia brasileira, se alternaria no poder com um partido direitista, cada qual compensando e corrigindo os erros do outro. Se há algo que a história das democracias nos ensina, é isto: é bom que haja uma esquerda, é bom que haja uma direita, e não é bom que uma das duas afaste a outra do poder definitivamente. Tudo isso é simples, prático e veraz, quer dizer: no Brasil, não funciona.

39 Publicado em *Jornal do Brasil* em 26 de dezembro de 1994 e reproduzido em *O Imbecil Coletivo*, Rio de Janeiro, Faculdade da Cidade Editora, 1997.

menos neutros, a polícia e as classes superiores a que ela serve são essencialmente más.⁴⁰

Não conheço um único bom livro brasileiro no qual a polícia tenha razão, no qual se exaltem as virtudes da classe média ordeira e pacata, no qual ladrões e assassinos sejam apresentados como homens piores do que os outros, sob qualquer aspecto que seja. Mesmo um artista superior como Graciliano Ramos não fugiu ao lugar-comum: Luís da Silva, em *Angústia*, o mais patológico e feio dos criminosos da nossa literatura, acaba sendo mais simpático do que sua vítima, o gordo, satisfeito e rico Julião Tavares — culpado do crime de ser gordo, satisfeito e rico. Na perspectiva de Graciliano, o único erro de Luís da Silva é seu isolamento, é agir por conta própria num acesso impotente de desespero pequeno-burguês: se ele tivesse enforcado todos os burgueses em vez de um só, seria um herói. O homicídio, em si, é justo: mau foi cometê-lo em pequena escala.

Humanizar a imagem do delinqüente, deformar, caricaturar até os limites do grotesco e da animalidade o cidadão de classe média e alta, ou mesmo o homem pobre quando religioso

---

40 Os *rapers* presos em São Paulo no dia 27 de novembro por incitação à violência cantavam: "Não confio na polícia, raça do caralho". É a culminação de seis décadas de cultura antipolicial, que teve outro momento memorável com "Chame o ladrão" de Chico Buarque. Mas depois que Gabriel o Pensador foi aplaudido pela *intelligentzia* ao expressar "artisticamente" seu desejo de matar um Presidente da República, que mais se pode esperar? Segundo o ex-procurador da República, Saulo Ramos, não há crime de incitação à violência "em obras artísticas". Mas será que faz sentido exigir bons serviços, honradez e patriotismo de uma classe profissional cuja detração constante e sistemática já foi incorporada à cultura nacional, sob a proteção do Estado? Não constituirá isso discriminação atentatória de um direito fundamental, numa clara violação do Art. 5º, § XLI da Constituição Federal? Se a letra do *rap* não tipifica o crime de incitação à violência, ela é uma clara apologia do preconceito. Por que não haverá crime em chamar de "raça do caralho" toda uma categoria profissional, se é crime usar o mesmo epíteto contra judeus ou negros? Será o elo racial mais sacrossanto ou digno de proteção oficial do que a comunidade de profissão, mesmo quando se trate de uma categoria de servidores do Estado? Outra coisa: qualquer porcaria posta em música é "obra artística"? Quem conhece a natureza antes publicitária e comercial do que artística de pelo menos oitenta por cento da música popular entende que o termo "arte" tem servido apenas como um salvo-conduto para a prática do crime. O povo, em todo caso, já julgou os *rapers*: apedrejou-os.

e cumpridor dos seus deveres — que neste caso aparece como conformista desprezível e virtual traidor da classe —, eis o mandamento que uma parcela significativa dos nossos artistas tem seguido fielmente, e a que um exército de sociólogos, psicólogos e cientistas políticos dá discretamente, na retaguarda, um simulacro de respaldo "científico".

À luz da "ética" daí resultante, não existe mal no mundo senão a "moral conservadora". Que é um assalto, um estupro, um homicídio, perto da maldade satânica que se oculta no coração de um pai de família que, educando seus filhos no respeito à lei e à ordem, ajuda a manter o *status quo*? O banditismo é em suma, nessa cultura, ou o reflexo passivo e inocente de uma sociedade injusta, ou a expressão ativa de uma revolta popular fundamentalmente justa. Pouco importa que o homicídio e o assalto sejam atos intencionais, que a manutenção da ordem injusta não esteja nem de longe nos cálculos do pai de família e só resulte como somatória indesejada de milhões de ações e omissões automatizadas da massa anônima. A conexão universalmente admitida entre intenção e culpa está revogada entre nós por um atavismo marxista erigido em lei: pelo critério "ético" da nossa intelectualidade, um homem é menos culpado pelos seus atos pessoais que pelos da classe a que pertence.[41] Isso falseia toda a escala de valores no julgamento dos crimes. Quando um habitante da favela comete um crime de morte, deve ser tratado com clemência, porque pertence à classe dos inocentes. Quando um diretor de empresa sonega impostos, deve ser punido com rigor, porque pertence à classe culpada. Os mesmos que pedem cadeia para

---

41 A perda do senso da conexão entre intenção e culpa é um grave sintoma de patologia da personalidade. Não obstante, vi pela TV Record (programa *25ª Hora* de 28 de novembro) a deputada Irede Cardoso defender a legalização do aborto sob o argumento de que, quando ocorrido por causas naturais, ele não é crime; sendo portanto, na opinião de S. Excia., uma odiosa discriminação puni-lo só quando é realizado por livre vontade da mulher um raciocínio que, embora S. Excia. não perceba, se aplica *ipsis litteris* à morte de modo geral. Considero realmente grave que haja pessoas dispostas a polemizar a sério com alguém capaz de dizer uma coisa dessas, que só pode ser respondida com uma forte dose de triperidol.

deputados corruptos fazem campanha pela libertação do chefe do Comando Vermelho. Os mesmos que sempre se opuseram vigorosamente à pena de morte para autores de homicídios citam como exemplar a lei chinesa que manda fuzilar os corruptos, e repreendem o deputado Amaral Netto, um apologista da pena de morte para os assassinos, por ser contrário à mesma penalidade para os crimes de "colarinho branco". O Congresso, ocupado em castigar vulgares estelionatários de gabinete, mostra uma soberana indiferença ante o banditismo armado. Assim nossa opinião pública passa por uma reeducação, que terminará por persuadi-la de que desviar dinheiro do Estado é mais grave do que atentar contra a vida humana — princípio que, consagrado no Código Penal soviético, punia o homicídio com dez anos de cadeia, e com pena de morte os crimes contra a administração: dize-me quem imitas e eu te direi quem és.[42]

---

[42] Decorrido um ano desde a publicação deste artigo, vejo que ele inibiu um pouco a apologia do banditismo, mas não eliminou de todo os preconceitos em que ela se fundamenta. Numa entrevista nas páginas amarelas de *Veja* em novembro de 1995, o delegado Hélio Luz, um sujeito que está a léguas de qualquer cumplicidade consciente com alguma coisa ilícita, cai numa escandalosa contradição ao descrever a situação presente do Rio de Janeiro, precisamente porque sua visão é distorcida pelo viés de um preconceito de classe. De um lado, ele afirma que o maior problema da polícia carioca é que os bandidos têm armas melhores e em maior quantidade que os policiais; de outro, que a prioridade no combate ao crime não é o confronto direto com as quadrilhas armadas, mas a investigação dos figurões, dos homens da classe alta que financiam o crime organizado. Ora, um sujeito com a cabeça cheia de intenções criminosas mas armado apenas de talão de cheques não representa senão um perigo virtual e de longo prazo: para efetivar suas intenções ele tem de contatar, recrutar, equipar e treinar um esquadrão de pés-de-chinelo, o que não se faz em dois dias, e, para complicar as coisas, tem de fazer tudo isso por vias indiretas, por interpostas pessoas, para manter oculta sua respeitável identidade. Quem está nas ruas assaltando e matando, quem representa o perigo imediato para a população, são pés-de-chinelo armados de granadas e metralhadoras, e não os colarinhos-brancos que os contrataram dez ou doze anos atrás. Em segundo lugar, é absolutamente impossível que quadrilhas a soldo de algum ricaço não tenham, depois de tanto tempo de exercício profissional, adquirido autonomia financeira para dispensar seus antigos patrões e operar por conta própria. Terceiro, se a polícia prende um colarinho-branco, os pés-de-chinelo que trabalhavam para ele vão imediatamente pedir emprego a outro empresário do crime — exatamente como os esbirros da Máfia trocavam de *famiglia* em caso de morte ou prisão do seu *capo* — ou então estabelecem-se por conta própria, de modo que, saneadas as classes altas, a vida do povão das ruas continuará um inferno. Há em todo o raciocínio

Se levada mais fundo ainda, essa "revolução cultural" acabará por perverter todo o senso moral da população, instaurando a crença de que o dever de ser bom e justo incumbe *primeira e essencialmente à sociedade, e só secundariamente aos indivíduos*. Muitos intelectuais brasileiros tomam como um dogma infalível esse preceito monstruoso, que resulta em abolir todos os deveres da consciência moral individual até o dia em que seja finalmente instaurada sobre a Terra a "sociedade justa" — um ideal que, se não fosse utópico e fantasista em si, seria ao menos inviabilizado pela prática do mesmo preceito, tornando os homens cada vez mais injustos e maus quanto mais apostassem na futura sociedade justa e boa.⁴³ Um dos maiores pensadores éticos do nosso século, o teólogo protestante Reinhold Niebuhr, mostrou que, ao longo da História, o padrão moral das sociedades — e principalmente

---

do delegado Luz a típica confusão do homem de formação marxista entre causas e fatos, entre as raízes sociais do crime e o crime como tal. Baseado nessa confusão, ele crê que a missão precípua da autoridade é eliminar as causas remotas do crime, e não combater a criminalidade *de facto*. Ora, pergunto eu: se um cachorro feroz investe de dentes à mostra contra o delegado Luz, qual a reação que ele considera mais urgente nesse instante: dominar o cão ou multar o proprietário? E se as ruas estão infestadas de cães raivosos, que diremos de uma polícia que em vez de amarrá-los vai primeiro investigar quem são seus donos? O banditismo não é uma estrutura, uma instituição monárquica em que, cortada a cabeça, o corpo inteiro venha abaixo: é um ser caótico e proteiforme, capaz de reorganizar-se instantaneamente de milhões de maneiras diferentes, por milhões de artifícios imprevistos; logo, é utópico pretender liquidá-lo em bloco, atacando-se somente os centros de comando: ele tem de ser combatido no varejo, bandido por bandido, rua por rua, bala por bala. Aqui ocorre exatamente como em certas doenças que, uma vez instaladas, já não se pode atacar suas causas profundas antes de eliminar seus efeitos e sintomas mais imediatos e perigosos. O médico que, diante do doente diarréico por má alimentação, tratasse de remover primeiro as causas, alimentando o doente antes de suprimir o sintoma imediato, obteria um único resultado seguro: a morte do paciente.

De outro lado, é somente a demagogia mais estúpida que pode pretender eliminar o banditismo mediante passeatas e protestos, como se assaltantes e sequestradores fossem colarinhos-brancos ciosos de sua imagem respeitável. Tudo isso revela uma recusa obstinada de enfocar o problema do banditismo no plano em que ele se coloca — que é obviamente de ordem policial-militar — e um desejo obsessivo de encará-lo pelo viés político, um terreno onde nossa intelectualidade se sente mais segura mas que está longe daquele onde o problema reside.

43 A maldade que se legitima sob a alegação de lutar por uma sociedade justa é a essência mesma da moral socialista. Quem quiser saber mais a respeito, leia *Os Demônios* de Dostoiévski, que descobriu a natureza dessa perversão quando ela estava ainda em germe.

dos Estados — foi sempre muito inferior ao dos indivíduos concretos. Uma sociedade, qualquer sociedade, pode permitir-se atos que num indivíduo seriam considerados imorais ou criminosos. Por isto mesmo, a essência do esforço moral, segundo Niebuhr, consiste em *tentar ser justo numa sociedade injusta*.⁴⁴ Nossos intelectuais inverteram essa fórmula, dissolvendo todo o senso de responsabilidade pessoal na poção mágica da "responsabilidade social". Alguns consideram mesmo que isto é muito cristão, esquecendo que Cristo, se pensasse como eles, adiaria a cura dos leprosos, a multiplicação dos pães e o sacrifício do Calvário para depois do advento da "sociedade justa".

É absolutamente impossível que a disseminação de tantas idéias falsas não crie uma atmosfera propícia a fomentar o banditismo e a legitimar a omissão das autoridades. O governante eleito por um partido de esquerda, por exemplo, não tem como deixar de ficar paralisado por uma dupla lealdade, de um lado à ordem pública que professou defender, de outro à causa da revolução com a qual seu coração se comprometeu desde a juventude, e para a qual a desordem é uma condição imprescindível. A omissão quase cúmplice de um Brizola ou de um Nilo Batista — homens que não têm vocação para tomar parte ativa na produção cultural, mas que têm instrução bastante para não escapar da influência da cultura produzida — não é senão o reflexo de um conjunto de valores, ou contravalores, que a nossa classe letrada consagrou como leis, e que vêm moldando as cabeças dos brasileiros há muitas décadas. Se o apoio a medidas de força contra o crime vem sempre das camadas mais baixas, não é só porque são elas as primeiras vítimas dos criminosos, mas porque elas estão fora do raio de influência da cultura letrada. Da classe média para cima, a aquisição de cultura superior é identificada com a adesão aos preconceitos consagrados da *intelligentzia* nacional, entre os quais o ódio à polícia e a simpatia pelo banditismo.

---

44 V. Reinhold Niebuhr, *Moral Man and Immoral Society. A Study in Ethics and Politics*, New York, Scribner's, 1960 (1ˢᵗ ed., 1932).

Seria plausível supor que esses preconceitos surgiram como reação à ditadura militar. Mas, na verdade, são anteriores. A imagem do crime na nossa cultura compõe-se em última análise de um conjunto de cacoetes e lugares-comuns cuja origem primeira está na instrução transmitida pelo *Comintern* em 24 de abril de 1933 ao Comitê Central do Partido Comunista Brasileiro, para que procurasse assumir a liderança de quadrilhas de bandidos, imprimindo um caráter de "luta de classes" ao seu conflito com a lei.[45]

A instrução foi atendida com presteza pela intelectualidade comunista, que produziu para esse propósito uma infinidade de livros, artigos, teses e discursos. Os escritores comunistas não eram muitos, mas eram os mais ativos: tomando de assalto os órgãos de representação dos intelectuais e artistas,[46] elevaram sua voz acima de todas as outras e, logo, suas idéias prevaleceram ao ponto de ocupar todo o espaço mental do público letrado. Hoje vemos como foi profunda a marca deixada pela propaganda comunista na consciência dos nossos intelectuais: nenhum deles abre a boca sobre o problema da criminalidade carioca, que não seja para repetir os velhos lugares-comuns sobre a miséria, sobre os ricos malvados, e para lançar na "elite" a culpa por todos os assaltos, homicídios e estupros cometidos pelos habitantes das favelas.

Ninguém ousa por em dúvida a veracidade das premissas em que se assentam tais raciocínios — o que prova o quanto elas fizeram a cabeça da nossa intelectualidade, o quanto esta, sem mesmo saber a origem de suas idéias, continua repetindo e

---

45 Cf. documento citado em William Waack, *Camaradas. Nos arquivos de Moscou. História secreta da Revolução Brasileira de 1935*, São Paulo, Companhia das Letras, 1993, p. 55-56.
46 Um episódio célebre dessa epopéia teve como herói o poeta Carlos Drummond de Andrade, secretário do Congresso Nacional de Escritores, que teve de defender a pontapés as atas do encontro para que não fossem roubadas pelos comunistas interessados em falsificar o resultado das eleições para a ABDE.

obedecendo, por mero automatismo, por mera preguiça mental, os chavões que o *Comintern* mandou espalhar na década de 30.

De nada adianta a experiência universal ensinar-nos que a conexão entre miséria e criminalidade é tênue e incerta; que há milhares de causas para o crime, que mesmo a prosperidade de um *wellfare State* não elimina; que entre essas causas está a anomia, a ausência de regras morais explícitas e comuns a toda a sociedade; que uma cultura de "subversão de todos os valores" e a glamurização do banditismo pela elite letrada ajudam a remover os últimos escrúpulos que ainda detêm milhares de jovens prestes a saltar no abismo da criminalidade. Contrariando as lições da História, da ciência e do bom senso, nossos intelectuais continuam presos à lenda que faz do criminoso o cobrador de uma dívida social. Alguns crêem mesmo nela, com uma espécie de masoquismo patético, resíduo de uma sentimentalidade doentia inoculada pelo discurso comunista nas almas frágeis dos "burgueses progressistas": o escritor Antônio Callado, vendo sua casa arrombada, levados seus quadros preciosos, repetia para si, entre inerme e atônito, a sentença de Proudhon: "A propriedade é um roubo". Deveria recitar, isto sim, o poema de Heine, em que um homem que dorme é atormentado em sonhos por uma figura que, ameaçando-o com uma arma, lhe diz: "Eu sou a ação dos teus pensamentos".[47]

---

47 O escritor Antônio Callado, ao ler estas linhas, teve um acesso de cólera e escreveu ao JB protestando contra a publicação do meu artigo, no qual apontava três pecados infames: 1º, ser assinado por um ilustre desconhecido; 2º, errar na qualificação dos objetos roubados, que na verdade não eram quadros, mas instrumentos óticos sem grande valor; 3º, não entender o sentido irônico da citação de Proudhon. Saltando sobre a primeira acusação, que era tola demais, respondi que: 1º, os objetos roubados poderiam ter sido meias, ou tacos de bilhar, que não faria a menor diferença para o meu argumento; 2º, a ironia, se alguma houvera, fora antes involuntária. Callado, vendo desmascarada a ambiguidade de sua atitude ante a violência carioca, e não tendo o que opor aos meus argumentos, se apegara a detalhes bobos no intuito de me desmoralizar.

Passados alguns dias, a colunista Joyce Pascowitch, na *Folha de S. Paulo*, informava que, do alto de seu *chateau-sur-mer* numa praia baiana, Caetano Veloso estava "indignado" com minhas acusações à intelectualidade — como se espumar de raiva fosse uma refutação. *O Globo*, por sua vez, trazia uma declaração do antropólogo

Infelizmente, os pensamentos dos intelectuais não voltam só contra seus autores os seus efeitos materiais. Erigida em crença comum, a lenda do "Cobrador" — título de um conto aliás memorável de Rubem Fonseca — produz devastadoras conseqüências reais sobre toda a população. Ela transforma o delinqüente, de acusado, em acusador. Seguro de si, fortalecido em sua auto-estima pelas lisonjas da *intelligentzia*, o assassino então já não aponta contra nós apenas o cano de uma arma, mas o dedo da justiça; de uma estranha justiça, que lança sobre a vítima as culpas pelos erros de uma entidade abstrata — "o sistema", "a sociedade injusta" —, ao mesmo tempo que isenta o criminoso de quase toda a responsabilidade por seus atos pessoais. Perseguida de um lado pelas gangues de bandidos, acuada de outro pelo discurso dos letrados, a população cai no mais abjeto desfibramento moral e já não ousa expressar sua revolta. Qual uma mulher estuprada, envergonha-se de seus sofrimento e absorve em si as culpas de seu agressor. Ela pode ainda exigir providências da autoridade, mas o faz numa voz débil e sem convicção — e cerca seu pedido de tantas precauções, que a autoridade, após ouvi-la, mais temerá agir do que omitir-se. Afinal, é menos arriscado politicamente desagradar uma multidão de vítimas que gemem em segredo do que um punhado de intelectuais que vociferam em público.

Os intelectuais, neste país, são os primeiros a denunciar a imoralidade, os primeiros a subir ao palanque para discursar em nome da "ética". Mas a ética consiste basicamente em cada um responsabilizar-se por seus próprios atos. E nunca vi um intelectual brasileiro, muito menos um de esquerda, fazer um exame de consciência e perguntar-se: "Será que *nós também* não temos colaborado para a tragédia carioca?".

Gilberto Velho, que condenava sumariamente o meu artigo (dispensando-se de alegar alguma razão para tanto, talvez por julgar que sua opinião é auto-probante), e aproveitava para falar mal do meu livro *Uma filosofia aristotélica da cultura*, que, surpreendentemente, admitia não ter lido. A completa irracionalidade destas três reações é a melhor comprovação de que a tese d'*O Imbecil Coletivo*, lamentavelmente, está certa: algo no cérebro nacional não vai bem.

Não, nenhum deles sente a menor dor na consciência ao ver que sessenta anos de apologia literária do crime de repente se materializaram nas ruas, que as imagens adquiriram vida, que as palavras viraram atos, que os personagens saltaram do palco para a realidade e estão roubando, matando, estuprando com a boa consciência de serem "heróis populares", de estarem "lutando contra a injustiça" com as técnicas de combate que aprenderam na Ilha Grande. Os intelectuais literalmente *não sentem* ter colaborado em nada para esse resultado. Não o sentem, porque décadas de falsa consciência alimentada pela retórica marxista os imunizaram contra quaisquer protestos da consciência moral. Eles possuem a arte dialética de sufocar a voz interior mediante argumentos de oportunidade histórica. Ademais, detestam o sentimento de culpa — que supõem ter sido inventado pela Igreja Católica para manter as massas sob rédea curta. Não desejando, portanto, assumir suas próprias culpas, exorcizam-nas projetando-as sobre os outros, e tornam-se, por uma sintomatologia histérica bem conhecida, acusadores públicos, porta-vozes de um moralismo ressentido e vingativo. Imbuídos da convicção dogmática de que a culpa é sempre dos outros, eles estão puros de coração e prontos para o cumprimento do dever. Qual dever? O único que conhecem, aquele que constitui, no seu entender, a missão precípua do intelectual: denunciar. Denunciar os outros, naturalmente. E aquele que denuncia, estando, por isto mesmo, ao lado das "forças progressistas", fica automaticamente isento de prestar satisfações à "moral abstrata" da burguesia, a qual, sem nada compreender da dialética histórica, continua a proclamar que há atos intrinsecamente maus, independentemente das condições sociais e políticas: "moral hipócrita", ante a qual — *pfui!* — o intelectual franze o nariz com a infinita superioridade de quem conhece a teleologia da história e já superou — ou melhor, *aufhebt jetzt* — na dialética do devir o falso conflito entre o bem e o mal...

Mas a colaboração desses senhores dialéticos para o crescimento da criminalidade no Rio foi bem mais longe do que a simples preparação psicológica por meio da literatura, do teatro e do cinema: foram exemplares da sua espécie que, no presídio da Ilha Grande, ensinaram aos futuros chefes do Comando Vermelho a estratégia e as táticas de guerrilha que o transformaram numa organização paramilitar, capaz de representar ameaça para a segurança nacional. Pouco importa que, ao fazerem isso, os militantes presos tivessem em vista a futura integração dos bandidos na estratégia revolucionária, ou que, agindo às tontas, simplesmente desejassem uma vingança suicida contra a ditadura que os derrotara: o que importa é que, ensinando guerrilha aos bandidos, agiram de maneira coerente com os ensinamentos de Marcuse e Hobsbawn — então muito influentes nas nossas esquerdas —, os quais, até mesmo contrariando o velho Marx, exaltavam o potencial revolucionário do *Lumpenproletariat.*

Nenhum desses servidores da História sente o menor remorso, a menor perturbação da consciência, ao ver que suas lições foram aprendidas, que suas teorias viraram prática, que sua ciência da revolução armou o braço que hoje aterroriza com assaltos e homicídios a população carioca. Não: eles nada fizeram senão acelerar a dialética histórica — e não existe mal senão em opor-se à História. Com a consciência mais limpa deste mundo, eles continuam a culpar os outros: o capitalismo, a política econômica do governo, a polícia, e a verberar como "reacionários" e "fascistas" os cidadãos, ricos e pobres, que querem ver os assassinos e traficantes na cadeia.

Mas os intelectuais da esquerda não se limitaram a criar o pano de fundo cultural propício e a elevar pelos ensinamentos técnicos o nível de periculosidade do banditismo; eles deram um passo além, e colheram os frutos políticos do longo namoro com a delinqüência: o apoio dos bicheiros — o que é o mesmo que dizer: dos traficantes — foi a principal base de sustentação popular sobre a qual se ergueu no Rio o império do brizolismo, a ala mais tradicional e populista da esquerda brasileira.

Sob a égide do brizolismo, as relações entre intelectualidade esquerdista e banditismo transformaram-se num descarado *affaire* amoroso, com a ABI dando respaldo à promoção do livro *Um contra mil*, em que o quadrilheiro William Lima da Silva, o "Professor", líder do Comando Vermelho, faz a apologia do crime como reação legítima contra a "sociedade injusta".

Um pouco mais tarde, quando a criminalidade organizada já estava bem crescida a ponto de requerer uma intervenção do governo federal, o que se verificou foi que a esquerda não se limitara a colaborar com os bandidos, mas se ocupara também de debilitar seus perseguidores; que a CUT e o PT, infiltrando-se na Polícia Federal, haviam tornado esta organização mais ameaçadora para o governo federal do que para traficantes e quadrilheiros.[48]

---

48 "A Polícia Federal perdeu todo o seu potencial de atuação. O contrabando liberou geral em todas as fronteiras. Milhares de inquéritos prescrevem nas delegacias da PF, por descaso e falta de pessoal, aumentando a impunidade". O quadro, delineado pelo Prof. Paulo Sérgio Pinheiro ("Crime e governabilidade", *Jornal do Brasil*, 14 de novembro de 1994) é perfeitamente exato. Mas, se o professor diz a verdade genérica, oculta a específica. A decadência da Polícia Federal coincide com a sua infiltração maciça por agentes do PT e da CUT, que transformaram esse órgão repressivo numa máquina de agitação incapaz de cumprir seus deveres legais mas capaz de intimidar o governo com greves, passeatas, badernas, ameaças e rojões disparados contra as vidraças dos ministérios. Armando a Polícia Federal contra as autoridades, a agitação petista desarma-a, *ipso facto*, contra o banditismo. Como não convém dizer isto, o professor acusa genericamente "o governo" por um descalabro policial do qual o governo é, na verdade, a vítima. Não é de hoje que a esquerda recorre ao expediente de provocar a desordem para em seguida acusar o governo de não manter a ordem.

Jogar sobre "o governo" as culpas da esquerda parece ser de fato a estratégia mental do professor:

"O crime organizado e as quadrilhas puderam assumir o controle de muitos espaços somente com o assentimento de vários escalões do poder público. Os governos estaduais não desarmam as quadrilhas porque não convém aos interesses de vários grupos incrustados dentro do aparelho de Estado ou em grupos sociais que lhes dão base política".

O professor não esclarece que grupos são esses. O modo vago e impreciso de falar deixa no ar a impressão de referir-se a algo já sabido e pressuposto, a um lugar-comum. "Grupos incrustados no aparelho de Estado" é uma expressão que designa corriqueiramente os banqueiros, os senhores do capital, os empreiteiros, os políticos de direita que deram apoio à ditadura. Será destes que o professor está falando? Não pode ser. Não

E finalmente, quando o governo federal, vencendo resistências prodigiosas, finalmente se decide a agir e incumbe o Exército de dirigir a repressão ao banditismo no Rio, a intelectualidade de esquerda, como não poderia deixar de ser, inicia uma campanha surda de desmoralização do comando militar das operações, seja com advertências alarmistas quanto à possibilidade de "abusos" contra os moradores das favelas, seja com toda sorte de gracejos e especulações sobre as fragilidades da estratégia adotada, seja com argumentações pseudocientíficas sobre a inconveniência do

---

existe a menor notícia de uma ligação entre essa gente e os bandidos do morro. Mas os grupos que têm efetivamente essa ligação o professor não pode citar pelos nomes — pois são grupos de esquerda: são os ex-guerrilheiros e algumas velhas lideranças do tempo do janguismo, que após o exílio se refizeram na política com a ajuda dos bandidos e agora continuam "incrustados no aparelho de Estado". Acusar estes grupos não fica bem: seria dividir as forças da esquerda, coisa que um *gentleman* como o Prof. Pinheiro jamais se permitiria. Então ele prefere falar vagamente, de modo que, pela automática associação de idéias, a má impressão acabe indo para o lado da direita e da "elite" — que obviamente não inclui a *intelligentzia*.

O professor não esconde seu intuito de desmoralizar o trabalho das Forças Armadas: "Libertemo-nos da fantasia de coreografias bélicas inúteis". E oferece, em lugar da fantasia, a solução real, "científica": "A participação das Forças Armadas deve ser submetida ao comando civil". Qual comando civil? O do governo estadual que, por omissão e cumplicidade, gerou o atual estado de coisas? Ou o governo federal que, determinando a intervenção das Forças Armadas, *já está* comandando o processo? Entre o absurdo e a redundância, a proposta do professor permanece indefinida. Indefinida, mas nem tanto. Linhas adiante ele finalmente abre o jogo: "No Rio de Janeiro é impensável pensar em realizar alguma iniciativa consistente sem a participação das entidades que compõem o *Viva Rio*". Eis aí o segredo: o comando da luta contra o crime não pode ficar com as Forças Armadas nem com os governantes civis eleitos, estaduais ou federais: tem de ser transferido para as entidades autonomeadas "representantes da sociedade civil" — isto é, em última análise, para a *intelligentzia* esquerdista. Meu Deus, será que neste país todo mundo só discursa *pro domo sua*? A mentalidade atávica, que mais teme a hipótese superada do militarismo do que a ameaça real e presente da delinqüência armada, acaba reinterpretando a situação de acordo com a ótica dos interesses de seu próprio grupo, tomados como mais urgentes e importantes do que as necessidades da população: em vez de ajudar na luta de um povo contra o banditismo, vamos desviar nossas energias para o velho conflito entre a *intelligentzia* e os militares — um episódio já encerrado da História, que o prof. Pinheiro pretende ressuscitar em prejuízo das tarefas de hoje. Olhando o presente com os olhos do passado, ele mostra que está menos interessado na luta contra o crime do que em assegurar, nela, um posto de comando para a casta a que pertence, que ele pressupõe ser mais confiável do que as Forças Armadas ou do que o governo federal eleito. A *intelligentzia* é a mais corporativista das corporações.

remédio adotado, dando a entender que os riscos de uma intervenção militar são infinitamente maiores que o da anarquia sangrenta instalada no Rio. Tudo isto prepara o terreno para uma investida maior, em que entidades autonomeadas representantes da "sociedade civil" — as mesmas que promoveram a elevação dos chefes do Comando Vermelho ao estatuto de "lideranças populares" — se unirão para pedir a retirada das Forças Armadas e a devolução dos morros a seus eternos governantes, lá entronizados pelas graças da deusa História.[49]

Resumindo, pela ordem cronológica: a esquerda, *primeiro*, criou uma atmosfera de idealização do banditismo; *segundo*, ensinou aos criminosos as técnicas e a estratégia da guerrilha urbana; *terceiro*, defendeu abertamente o poder das quadrilhas, propondo sua legitimação como "lideranças populares"; *quarto*, enfraqueceu a Polícia Federal como órgão repressivo, fortalecendo-a, ao mesmo tempo, como instrumento de agitação; *quinto*, procurou boicotar psicologicamente a operação repressiva montada pelas Forças Armadas, tentando atrair para ela a antipatia popular. Não é humanamente concebível que tudo isso seja apenas uma sucessão de coincidências fortuitas. Se a continuidade perfeitamente lógica das iniciativas da esquerda em favor do banditismo não reflete a unidade de uma estratégia consciente, ela expressa ao menos a unanimidade de um estado de espírito, a fortíssima coesão de um nó de preconceitos contra a ordem pública e a favor da delinqüência. Para a nossa esquerda, decididamente, assassinos, ladrões, traficantes e estupradores estão alinhados com as "forças progressistas" e destinados a ser redimidos pela História pela sua colaboração à causa do socialismo. Quanto a seus perseguidores, identificam-se claramente com as "forças reacionárias" e irão direto para a lata de lixo da História. No que diz respeito às vítimas, enfim, pode-se lamentá-las,

---

49 Foi isto realmente o que acabou por acontecer, poucos meses após a publicação deste artigo no *Jornal do Brasil*.

mas, como dizia tio Vladimir, quê fazer? Não se pode fritar uma *omelette* sem quebrar os ovos...

Para completar, é mais que sabido que artistas e intelectuais são um dos mais ricos mercados consumidores de tóxicos e que não desejam perder seus fornecedores: quando defendem a descriminalização dos tóxicos, advogam em causa própria. Mas eles não são apenas consumidores: são propagandistas. Quem tem um pouco de memória há de lembrar que neste país a moda das drogas, na década de 60, não começou nas classes baixas, mas nas universidades, nos grupos de teatro, nos círculos de psicólogos, rodeada do prestígio de um vício elegante e iluminador. Foi graças a esse embelezamento artificial empreendido pela *intelligentzia* que o consumo de drogas deixou de ser um hábito restrito a pequenos círculos de delinqüentes para se alastrar como metástases de um câncer por toda a sociedade: *Si monumentum requires, circumspicii.*

É de espantar que nessas condições o banditismo crescesse como cresceu? É de espantar que, enquanto a população maciçamente clama por uma intervenção da autoridade e aplaude agora a chegada dos fuzileiros aos morros, a intelectualidade procure depreciar a atuação do Exército e não se preocupe senão com a salvaguarda dos direitos civis dos eventuais suspeitos a serem detidos, como se a eliminação do banditismo armado não valesse o risco de alguns abusos esporádicos?

O que seria de espantar é que os estudos pretensamente científicos sobre as causas do banditismo jamais assinalem entre elas a cumplicidade dos intelectuais, como se os fatores econômicos agissem por si e como se a produção cultural não exercesse sobre a ordem ou desordem social a menor influência, mesmo quando essa cumplicidade passa das palavras à ação e se torna um respaldo político ostensivo para a ação dos quadrilheiros. *Seria* de espantar, digo, se não se soubesse quem são os autores de tais estudos e as entidades que os financiam.

Há décadas nossa *intelligentzia* vive de ficções que alimentam seus ódios e rancores e a impedem de enxergar a realidade. Ao mesmo tempo, ela queixa-se de seu isolamento e sonha com a utopia de um amplo auditório popular. Mas é a incultura do nosso povo que o protege da contaminação da burrice intelectualizada. "Incultura" é um modo de falar: será incultura, de fato, privar-se de consumir falsos valores e *slogans* mentirosos? Não: mas quando houver neste país uma intelectualidade à altura de sua missão, ela será ouvida e compreendida. Por enquanto, se queremos ver o nosso Rio livre do flagelo do banditismo, a primeira coisa a fazer é não dar ouvidos àqueles que, por terem colaborado ativamente para a disseminação desse mal, por mostrarem em seguida uma total incapacidade de arrepender-se de seu erro, e finalmente por terem o descaramento de ainda pretender posar de conselheiros e salvadores, perderam qualquer vestígio de autoridade e puseram à mostra a sua lamentável feiúra moral.

MÁFIA GRAMSCIANA[50]

A cada dia que passa, mais o chamado "debate cultural" brasileiro se reduz a mero debate eleitoral, tudo rebaixando ao nível dos *slogans* e estereótipos e, pior ainda, induzindo as novas gerações a crer que a paixão ideológica é uma forma legítima de atividade intelectual e uma expressão superior dos sentimentos morais.

Tão grave é esse estado de coisas, tão temíveis os desenvolvimentos que anuncia, que todos os responsáveis pela sua produção – a começar pelos fiéis seguidores da estratégia gramsciana, para a qual aquela redução é objetivo explicitamente desejado e buscado – deveriam ser expostos à execração pública como assassinos da inteligência e destruidores da alma brasileira.

---

50 Publicado em duas partes no *Jornal da Tarde*: 25 de novembro e 9 de dezembro de 1999.

Para Antonio Gramsci, a propaganda revolucionária é o único objetivo e justificação da inteligência humana. O "historicismo absoluto", um marxismo fortemente impregnado de pragmatismo, reduz toda atividade cultural, artística e científica à expressão dos desejos coletivos de cada época, abolindo os cânones de avaliação objetiva dos conhecimentos e instaurando em lugar deles o critério da utilidade política e da oportunidade estratégica.

É idéia intrinsecamente monstruosa, que se torna tanto mais repugnante quanto mais se adorna do prestígio associado, nas mentes pueris, a palavras como "humanismo" ou "consenso democrático" (naturalmente esvaziadas de qualquer conteúdo identificável), bem como das insinuações de santidade ligadas à narrativa dos padecimentos de Antônio Gramsci na prisão, as quais dão ao gramscismo a tonalidade inconfundível de um culto pseudo-religioso.

Recentemente, um grande jornal de São Paulo, que se gaba de sempre "ouvir o outro lado", consagrou a Antonio Gramsci todo um caderno, laudatório até à demência, que, sem uma só menção às críticas devastadoras feitas ao gramscismo por Roger Scruton, por Francisco Saenz ou – de dentro do próprio grêmio marxista – por Lucio Coletti, deixa no leitor a falsíssima impressão de que essa ideologia domina o pensamento mundial, quando a verdade é que ela tem aí um lugar muito modesto e até o Partido Comunista Italiano, com nome mudado, já não fala de seu fundador sem um certo constrangimento.

Que o jornalismo assim se reduza à propaganda, nada mais coerente com o espírito do gramscismo, o qual não busca se impor no terreno dos debates, do qual não poderia sair senão desmoralizado, e sim através da tática de "ocupação de espaços", por meio da qual, excluídas gradualmente e quase sem dor as vozes discordantes, a doutrina que reste sozinha no picadeiro possa posar como resultado pacífico de um "consenso democrático".

Com a maior cara-de-pau os adeptos dessa corrente atribuirão a um mórbido direitismo esta minha denúncia, sem ter em conta aquilo que meus leitores habituais sabem perfeitamente, isto é, que eu denunciaria com o mesmo vigor qualquer ideologia direitista que tentasse se impor mediante o uso de estratagemas tão sorrateiros e perversos.

Se no momento pouco digo contra a direita é porque sua expressão intelectual pública é quase nula, não por falta de porta-vozes qualificados, mas de espaço. Os liberais, banidos de qualquer debate moral, religioso ou estético-literário, recolheram-se ao gueto especializado das páginas de economia, o que muito favorece o lado adversário na medida em que deixa a impressão de que o liberalismo é a mais pobre e seca das filosofias. Quanto às correntes conservadoras que ainda subsistem, por exemplo católicas e evangélicas, sua exclusão foi tão radical e perfeita, que hoje a simples hipótese de que um conservador religioso possa ter algo a dizer no debate cultural já é objeto de chacota. Chacota, é claro, de ignorantes presunçosos, que, nunca tendo ouvido falar de Eric Voegelin, de Russel Kirk, de Malcom Muggeridge, de Reinhold Niebuhr ou de Eugen Rosenstock-Huessy, acreditam piamente que não pode existir vida inteligente fora de suas cabecinhas gramscianas, e provam assim ser eles próprios as primeiras vítimas da censura mental que impuseram a todo o País.

No campo intelectual, atacar a "direita", hoje, seria mais que covardia: seria coonestar a farsa de que no Brasil existe um debate cultural normal, quando o que existe é apenas o mafioso apoio mútuo de gramscianos a gramscianos, que priva os brasileiros do acesso a idéias essenciais e ainda tem o cinismo de posar de democrático.

***

O motivo pelo qual não há nem pode haver debate filosófico neste país já se tornou claro: um grupo de ativistas sem escrúpulos apropriou-se dos meios de difusão cultural para fazer deles o trampolim de suas ambições políticas, fechando os canais por onde pudessem fazer-se ouvir as vozes adversárias e impondo a todo o País a farsa gramsciana da "hegemonia".

A palavra mesma, que tanto veneram fingindo ser termo claro e unívoco, já traz a letal ambigüidade das grandes mentiras. Designa, no sentido intelectual, a amplidão do horizonte de uma visão do mundo que abarca as concorrentes sem ser por elas abarcada. Hegel, por exemplo, é hegemônico sobre todos os marxismos, que quanto mais buscam superá-lo mais se enredam, como viu Lucio Coletti, nos compromissos metafísicos do hegelianismo, e jurando pô-lo de cabeça para baixo só conseguem é plantar bananeira eles próprios (v. o excelente estudo de Orlando Tambosi, *O declínio do marxismo e a herança hegeliana*, Florianópolis, UFSC, 1999).

A máfia gramsciana, quando chama Gramsci de hegemônico, deseja induzir-nos a crer que ele o é nesse sentido. Mas ela sabe que não é, pois um breve exame das filosofias do século XX mostra que nelas há mundos e mundos inabarcáveis e invisíveis aos olhos desse pobre sapo filosófico, espírito escravo que, fingindo-se de livre e universal, tudo comprime e reduz às dimensões mesquinhas do seu poço escuro e proclama que o céu é apenas um buraquinho no teto. Gramsci nunca foi um filósofo, foi apenas um sistematizador de truques sórdidos para falsificar o saber e torná-lo instrumento de poder nas mãos do Partido.

Se o gramscismo fosse hegemônico no sentido intelectual, ele se imporia pela força das suas demonstrações, como se impuseram por exemplo as filosofias de Aristóteles e de Leibniz. Mas estes nunca precisaram ter a seu serviço um exército de "ocupadores de espaço", semeadores do silêncio forçado onde germine a falsa glória do monólogo restante. Quando, na Idade Média, um aristotélico desejava vencer um adversário, não pensava em tomar-lhe o emprego, em encobrir seu discurso sob a gritaria uníssona de uma ralé de militantes pagos. Chamava-o para o debate em campo aberto, mesmo quando isso importasse, como importou para Santo Alberto, em atrair a ira dos poderosos. Para derrotar os empiristas, Leibniz não tratou de boicotá-los na distribuição das verbas de pesquisa, de omitir seu nome das publicações culturais, de monopolizar contra eles o apoio milionário dos senhores da mídia. Simplesmente escreveu um livro fulminante em forma de debate com o príncipe deles, John Locke, ainda que ao preço de ver-se exposto à chalaça grosseira de filósofos de salão.

Os escolásticos e Leibniz desconheciam a hegemonia no sentido gramsciano, e se a conhecessem não veriam nela senão a criação doentia de uma mentalidade torpe.

Para ilustrar do que se trata, nada mais elucidativo do que a conduta recente de uma tal dona Marilena, que, denunciada por mim como praticante do característico estilo elíptico-mistificatório de raciocínio gramsciano, ficou caladinha ante o público da cidade onde mora, mas foi dizer lá longe, lá em Goiás, que não me conhece nem leu, mas que, segundo informação confiabilíssima obtida de fonte anônima, sou indiscutivelmente "um pulha". O jornalista José Maria e Silva, do jornal *Opção* de Goiânia, já deu a essa criatura a resposta devida, e cito o caso apenas como amostra dos métodos gramscianos de conquista da hegemonia: jogo de poder, manobra soturna para frustrar o debate, boicotar o adversário e vencer por uma impressão postiça de unanimidade espontânea.

Quando essa gente trombeteia que uma edição completa de Gramsci vai "renovar o pensamento nacional", o que anuncia é nada menos que a "renovação por estrangulamento". Pois que estrangulem o quanto queiram. Eu, da minha parte, lhes digo o que vou fazer: vou furar o bloqueio, por meio do JT e de quantos outros respiradouros ainda restem na imprensa nacional. A cada novo volume de escritos do anãozinho maluco que vocês publicarem, vou responder com argumentos que demonstrarão a sua total vacuidade filosófica e a índole brutal de sua doutrina fingidamente humanóide. Vocês, como sempre, vão ficar rosnando pelos cantos e tramando maldades. E vão falar mal de mim bem longe de Goiás, pois já viram que goiano não é idiota.

EFEITOS DA "GRANDE MARCHA"[51]

A Justiça Eleitoral existe, como o próprio nome o diz, para que as eleições sejam justas. Mas ela se compõe de funcionários públicos e, desde que apareceu neste país um fenômeno chamado "a grande marcha da esquerda para dentro do aparelho de Estado", essa classe vem se tornando cada vez mais suspeita de estar interessada em tudo, menos em eleições justas. Pois a "grande marcha" consiste em ocupar o maior número de empregos públicos, com a finalidade de colocar o aparelho de Estado a serviço de um partido, o qual então passa a exercer o governo sem ser governo, desfrutando das prerrogativas do poder sem as suas concomitantes responsabilidades.

Essa operação foi calculada por seu inventor, Antonio Gramsci, para ser realizada de maneira lenta e sorrateira, de modo que os próprios governantes acabem sendo responsabilizados pelos efeitos globais nefastos das ações de funcionários infiltrados na burocracia para desmoralizá-lo e enfraquecê-lo.

Um exemplo da eficácia alucinante desse procedimento foi obtido já durante o governo militar. O regime, por ser autoritário e não totalitário, desejava a apatia política do povo e não fez nenhum esforço para doutriná-lo segundo os valores do movimento de 1964 (o totalitarismo, ao contrário, exige doutrinação maciça). Essa atitude deixou à mercê da oposição de esquerda a rede de instrumentos editoriais, jornalísticos e escolares de formação da opinião pública (o que, entre outras coisas, resultou na ampliação formidável do mercado de livros esquerdistas). Uma das poucas tentativas de doutrinação feitas pelos militares foi a

---

51 Publicado no *Jornal da Tarde* em 26 de outubro de 2000.

introdução, nas escolas, das aulas de "Educação Moral e Cívica". Mas tão displicente foi essa tentativa que o Partido Comunista se aproveitou da oportunidade para lotar de bem treinados agitadores as cátedras da nova disciplina, as quais assim se tornaram uma rede de propaganda comunista subsidiada pelo governo. É claro que muitos professores ideologicamente descomprometidos também se apresentaram para suprir as vagas, mas os militantes faziam o mesmo como tarefa partidária, de modo que, no conjunto, o plano comunista de apropriar-se dos recém-abertos canais de doutrinação não concorreu com uma premeditação igual de signo ideológico contrário, mas apenas com a resistência amorfa de uma massa politicamente indiferente e sem direção. A brutal politização marxista das escolas, que hoje culmina nas barbaridades ideológicas impingidas às crianças pelos manuais publicados pelo próprio Ministério da Educação, começou precisamente aí.

O mais notável foi que, ocupado em reprimir a guerrilha, o governo militar não apenas deu rédea solta à ala "pacífica" e gramsciana da esquerda, mas até lhe concedeu substanciais incentivos. O principal editor comunista da época jamais deixou de receber subsídios oficiais, até que, com a abertura política, começou a ter dificuldades financeiras e acabou vendendo sua empresa.

Jamais interrompida, rarissimamente denunciada, a "grande marcha" parece enfim ter chegado à Justiça Eleitoral, que, nos últimos tempos, tomou pelo menos três decisões bastante suspeitas. Primeiro, proibiu menções adversas à aliança do PT com o movimento "gay" (v. meu artigo no JT de 20 de setembro); depois, mandou distribuir cartazes que incentivavam o eleitor a votar "para mudar", o que é mensagem de signo ideológico indiscutivelmente nítido; por fim, vetou propagandas do candidato do PPB à Prefeitura de São Paulo que apresentavam sua concorrente como adepta da causa abortista – uma afirmação cuja veracidade é empiricamente confirmável por qualquer um.

Cada uma dessas decisões, isoladamente, pesa pouco. Somadas – se ainda não vierem outras –, talvez não sejam capazes de decidir uma eleição. Mas, na escala minimalista de uma estratégia que aposta antes na somatória de milhares de ações imperceptíveis do que nos riscos da propaganda espetacular, elas vêm engrossar o caudal da "revolução cultural" gramsciana, a mutação sutil e persistente dos padrões de percepção do povo brasileiro, cujos resultados, em São Paulo e em outras cidades importantes, já estão em vias de se traduzir em resultados eleitorais superficialmente limpos e profundamente sujos.

É impossível não ver simultaneamente um efeito da "grande marcha" na greve da polícia pernambucana, claramente ilegal e insurrecional, e em mil e um outros fatos que parecem isolados, mas cuja origem comum está sempre num funcionalismo público bem adestrado para trabalhar contra quem paga seu salário.

MEDINDO AS PALAVRAS[52]

Vocês já repararam no tratamento discreto, macio, quase gentil que as classes falantes têm dado a Fernandinho Beira-Mar desde que foi preso? Imprensa, políticos, intelectuais – ninguém parece ter um pingo de raiva desse homem responsável por tantas mortes, por tanto sofrimento, por tanta iniqüidade. Ninguém o chama de assassino, de genocida, de monstro, de nenhum daqueles nomes que tão facilmente vêm à boca de todos quando se referem a desarmados vigaristas de colarinho branco ou até mesmo à pessoa do presidente da República. Nenhuma multidão em fúria, convocada pelos autodesignados porta-vozes dos sentimentos populares, se reúne na porta da delegacia para xingá-lo como se xingou Luiz Estevão. Nenhum moralista, com lágrimas de indignação nos olhos, condena como insulto à memória de

---

52 Publicado em *Época*, em 5 de maio de 2001.

inumeráveis vítimas os cuidados paternais que o traficante recebe na cadeia, como tantos julgaram um acinte a prisão especial que, em obediência à lei, as autoridades deram ao juiz Lalau, malandro septuagenário incapaz de matar uma galinha.

Não obstante, o homem que distribui drogas a crianças nas escolas e mata quem tenta impedi-lo é, obviamente, um assassino, um genocida, um sociopata amoral e cínico. Aplicados a suspeitos de crimes incruentos, esses termos são figuras de expressão, hipérboles descomunais, flores de plástico de uma retórica postiça. Usados para definir Luiz Fernando da Costa, são termos exatos, precisos, quase científicos. A liberalidade tropical no emprego das hipérboles para falar de quem rouba contrasta singularmente com a inibição de usar as palavras em seu sentido literal para falar de quem mata.

De onde vem essa assustadora inversão das cotações de palavras, homens e crimes na linguagem brasileira? De modo geral, ela reflete, inequivocamente, a influência da "revolução cultural" gramsciana que, há 40 anos, com a obstinação sutil das bactérias e dos vírus, contamina de antivalores comunistas – sem esse nome, é claro – os sentimentos e as reações de nossa opinião pública.

Mas, no caso presente, há algo mais que isso – algo de infinitamente mais sinistro. Há o temor instintivo de revelar a uma luz muito direta e crua a feiúra de um sócio das FARC. Pois essa luz ameaçaria refletir-se sobre a imagem da guerrilha e, portanto, de todos os seus amigos e apologistas: Fidel Castro, o presidente Chávez, Lula, o governador Olívio Dutra, o MST, a esquerda quase inteira.

Falar de Fernandinho Beira-Mar com uma linguagem proporcional à gravidade de seus crimes seria – para usar a expressão consagrada do jargão militante – "dar munição ao inimigo". Naquilo que dentro de uma cabeça esquerdista faz as vezes de consciência moral, não há pecado maior. Portanto, moderação nas palavras! Abandonado há tempos em nome da "ética", da "participação" e do "dever de denunciar", o estilo noticioso frio, factual, sem comentários, é de repente retirado da gaveta e mostra toda a sua inesperada serventia: num ambiente de furor moralista e indignação oratória, o relato neutro, asséptico, soa quase como um elogio.

E não pensem que, para pôr em ação esses anticorpos verbais, tenha sido necessário emitir uma palavra de ordem, distribuir avisos de algum comitê central, mover alguma complexa cadeia de comando. Nada disso. A reação já se produz sozinha, por automatismo, quase inconscientemente. Todos mentem em uníssono – e ninguém tem culpa porque ninguém mandou ninguém fazer nada.

É precisamente esse domínio tácito sobre as consciências, essa redução coletiva dos formadores de opinião ao estado sonambúlico de inocentes úteis, que Antonio Gramsci denominava "hegemonia" – o prelúdio psicológico à tomada do poder. A hegemonia já está, portanto, conquistada. Se definitivamente ou não, isso depende. Depende de que ninguém diga o que está acontecendo. E é por isto mesmo que insisto em dizê-lo.

TENTANDO ENXERGAR[53]

A recente pesquisa do Ibope, na qual 55% dos eleitores clamam por uma revolução socialista no Brasil, fala por si. Mas, para melhor captar o alcance da sua significação no presente momento histórico, é preciso realçar os seguintes pontos.

Primeiro: a população consultada não disse simplesmente "socialismo" (o item "socialismo" foi objeto de uma pergunta em separado), nem muito menos "transição pacífica para o socialismo". Disse "revolução socialista", o que indica claramente sua disposição de aceitar, como coisa normal e desejável, todo o

---

53 Publicado em *O Globo*, em 7 de julho de 2001.

cortejo de crueldades e horrores inerente a essa modalidade de transformação político-social. Nenhuma revolução socialista se fez até hoje sem genocídio, que chegou, no caso chinês, à extinção de dez por cento da população local. Isso equivaleria, aqui, a dezesseis milhões de brasileiros. A morte dessas pessoas já parece, à maioria do nosso eleitorado, um preço módico a pagar pelo prazer de viver na China.

Segundo: nenhuma revolução socialista se realizou, até hoje, com a garantia de tamanho respaldo popular. Isto garante, ao primeiro governo revolucionário do Brasil, os meios para impor, sem muita reação adversa, as leis e controles que bem entenda. A minoria refratária terá contra si não apenas a força repressiva do Estado, mas a ira popular. Por exemplo, a constituição de uma rede de espionagem interna, com voluntários civis, terá aqui pelo menos tanto apoio quanto teve na Venezuela de Chávez, a qual, com isso, se aproxima velozmente da taxa cubana de um espião do governo para cada 28 habitantes.

Terceiro: refletindo o sucesso obtido por trinta anos de "revolução cultural" inspirada em Antonio Gramsci, a conversão maciça do eleitorado brasileiro ao socialismo revolucionário é, ela mesma, um momento capital do processo revolucionário, o qual já está, portanto, em pleno curso de realização, como o compreenderá quem quer que conheça algo da estratégia traçada pelo fundador do Partido Comunista Italiano.

Quarto: ao preconizar uma revolução socialista como "solução" para os atuais problemas do país, imaginando-o portanto como um ideal a ser realizado no futuro, aquela parcela majoritária do eleitorado mostra não ter a menor idéia de que já está em plena revolução, e muito menos de que os problemas que a angustiam no momento presente, longe de ser males que a revolução possa curar, são sintomas e etapas do processo revolucionário mesmo. Aí, novamente, a fórmula anunciada pelo estrategista italiano está seguida à risca: o que ele denomina "revolução passiva" é precisamente essa etapa de lusco-fusco, essa noite da consciência, esse torpor agitado e sombrio em que uma população semi-hipnotizada faz a revolução sem perceber e, quando acorda, já está sob o domínio do Estado comunista. Como jamais a estratégia gramsciana foi tentada em tão larga escala, também jamais se observou, na história dos tempos modernos, um fenômeno tão vasto de cegueira coletiva.

Quinto: o governo comunista, ao constituir-se, já terá de imediato nas mãos, além da cumplicidade popular, quatro instrumentos decisivos para consolidar velozmente o seu poder, desarticulando, no ato, qualquer possibilidade de oposição: (a) o controle dos meios de comunicação, propaganda e ensino, através da organizada militância instalada na mídia e na rede de escolas de todos os níveis; (b) a obediência garantida e zelosa da burocracia estatal, já devidamente doutrinada e amestrada através dos sindicatos de funcionários públicos; (c) o controle da Zona Rural, através da bem treinada militância do MST; (d) uma legislação fiscal habilitada a "colocar o empresariado de joelhos" com a velocidade com que Hitler, autor dessa expressão, o fez na Alemanha.

Sexto: com exceção do controle da mídia, todos os demais itens apontados no parágrafo anterior, inclusive o domínio do sistema educacional, foram servidos à liderança gramsciana, de bandeja, pelo atual governo. Este, portanto, longe de constituir "o adversário" a ser derrubado pela revolução, vem sendo no sentido mais estrito do termo aquilo que no jargão revolucionário se denomina "governo de transição para o socialismo", tendo representado, portanto, exatamente o papel que alguns anos atrás o cientista político Alain Touraine, tão respeitosamente ouvido pelo nosso presidente da República, recomendou que ele consentisse em representar no palco da história, caso não quisesse desempenhar o de vítima inerme de um processo irreversível. Sendo o nosso presidente homem versado na estratégia gramsciana — e ele se gaba de ser um dos mais versados — é impossível que ele não esteja consciente do papel que escolheu; e ele próprio deu mais uma prova disso ao explicitar seus atos em palavras, aconselhando à nação que não hesite em curvar-se ao destino previsto, como ele próprio se curvou.

Para a perfeição integral do poder revolucionário, falta apenas um item: o apoio das Forças Armadas. Ele é difícil de obter, em vista de feridas históricas ainda não cicatrizadas, mas talvez possa ser, em parte, alcançado mediante a manipulação de ressentimentos e ambições nacionalistas — que hábeis agitadores civis vêm tratando de providenciar — e, em parte, substituído pela neutralização e enfraquecimento da classe militar, que o atual governo já providenciou.

Se me perguntarem como esse processo pode ser detido, responderei que, obviamente, não sei. Mudar o curso da história está além das minhas pretensões: elas se resumem, no momento, em tentar enxergá-lo. E notem que, no meio da cegueira geral, isso já é muito para um pobre observador humano.

UM INIMIGO DO POVO[54]

Em *Os Demônios* de Dostoiévski, publicado em 1872, um revolucionário diz a outro: "Você sabia que já somos tremendamente poderosos? Preste atenção. Já fiz a soma de todos eles. Um professor que, com as crianças, ri do Deus delas, é alguém que está do nosso lado. O advogado que defende o assassino educado porque ele é mais culto que suas vítimas... é um de nós. O promotor que, num julgamento, treme de medo de não parecer progressista o bastante, é nosso, nosso... Você sabe quantos deles vamos conquistar aos pouquinhos, por meio de pequenas idéias prontas?".

Quase meio século antes da tomada do Palácio de Inverno, um século antes da difusão mundial das obras de Antônio Gramsci,

---

54 Publicado em *O Globo*, em 22 de dezembro 2001.

o romancista já havia captado a estratégia macabra da "revolução cultural", à qual o fundador do Partido Comunista Italiano deu apenas um embelezamento teórico mas que, em essência, já estava em ação desde o século XVIII, nos salões onde aristocratas se deliciavam com as idéias de Diderot e Rousseau sem perceber que o único propósito delas era legitimar sua decapitação.

Os homens que se gabam de ser práticos – empresários, políticos, comandantes militares – são os mais lentos em perceber o sentido prático de certas modas culturais sem teor político demasiado aparente, nas quais não enxergam senão curiosidades acadêmicas ou até exigências morais legítimas, mas cujo efeito, temporariamente obscurecido pela variedade e confusão das palavras que as veiculam, mais cedo ou mais tarde acaba por se manifestar da maneira mais brutal. Invariavelmente, esse efeito é um só: o assassinato político em massa, o genocídio.

Em geral, só dois tipos de observadores estão conscientes dessa conexão: os intelectuais ativistas, que desejam produzi-la, e os estudiosos independentes. Os primeiros têm todo o interesse de mantê-la oculta sob um véu de pretextos diversionistas, de ordem moral, estética, pedagógica, econômica, etc., sob cuja profusão as vítimas não apreendam a unidade do processo revolucionário subjacente. Os segundos, quando tentam alertar a sociedade para o que se passa, quase que invariavelmente são rejeitados como alarmistas e paranóicos por aquela mesma parcela parcela do tecido social que a revolução há de extirpar da maneira mais cruel e sangrenta.

Basta a constatação desse fato, aliás, para dar por terra com a teoria gramsciana do "intelectual orgânico", segundo a qual as classes criam seus intelectuais sob medida para a defesa de seus interesses: com regularidade sinistra, de Voltaire a Antonio Negri, é sempre o inimigo da classe dominante que é cortejado por ela, enquanto o intelectual que desejaria preservar o sistema, por descrer da bondade e utilidade das revoluções, é estigmatizado, no mínimo, como excêntrico e marginal.

Dostoiévski, que defendia a monarquia e a religião, continuou sempre um "outsider", enquanto os escritores revolucionários eram recebidos nos círculos elegantes, onde gozavam de toda a estima e consideração – quando não da confiança cega – de suas futuras vítimas. Nicolai Berdiaev, aristocrata de nascimento, revolucionário de convicção, conta em suas memórias como, na juventude, gostava de escandalizar princesas e condessas com discursos inflamados contra a moral e a hierarquia. Só mais tarde, ao saber que todas elas tinham morrido na Revolução, se deu conta de que contribuíra levianamente para a consecução de um crime hediondo. O caso mostra que nem mesmo os próprios colaboradores mais ativos da "revolução cultural" precisam ter plena consciência da finalidade a que seus atos, aparentemente inócuos ou então rodeados de uma aura de piedoso idealismo, concorrem quando somados a milhões de outros atos semelhantes, praticados nesse mesmo instante por uma legião dispersa de militantes, colaboradores e simpatizantes que se ignoram uns aos outros. No topo, só uma elite muito restrita tem a visão intelectual do conjunto, que não precisa ser "dirigido" como uma conspiração organizada, mas apenas sutilmente orientado, de tempos em tempos, por intervenções oportunas. O automatismo, o espírito de imitação e a atração incoercível das modas fazem o resto.

Mesmo quando não resulta diretamente numa tomada do poder político, a revolução cultural deixa marcas profundas e indeléveis no corpo da sociedade. Dois estudos recentes de Roger Kimball, editor de *New Criterion* – *Tenured Radicals: How Politics Has Corrupted Our Higher Education* e *The Long March: How The Cultural Revolution of the 1960's Changed America* – mostram como a incansável guerra psicológica movida pelos intelectuais ativistas contra a religião, a moral, a lógica e o bom-senso produziram, na vida americana, resultados catastróficos praticamente irreversíveis: a perda coletiva dos padrões mais elementares de julgamento, a prematura decrepitude intelectual dos estudantes, a disseminação endêmica das drogas, a criminalidade desenfreada. Não por coincidência, os mesmos intelectuais que conscientemente se esforçaram para criar esse estado de coisas (muitos deles a serviço da KGB ou da espionagem chinesa, como hoje se sabe graças à abertura dos Arquivos de Moscou) são os primeiros a tirar redobrado proveito político de seus próprios atos, imputando os resultados deles ao "sistema", à "corrupção intrínseca do capitalismo" etc. etc.

É preciso ser muito cego para não perceber que coisa idêntica se passa no Brasil, com o agravante -- verdadeiramente desesperador -- de que estudos como os de Kimball (e centenas de outros similares) nem são traduzidos nem há equivalentes produzidos pela intelectualidade local, dividida entre a maioria de ativistas enfurecidos e a minoria de observadores acovardados, mudos, ou então acomodatícios e cúmplices. Em resultado, a simples tentativa de diagnosticar o estado de coisas é rejeitada – mesmo por parte do "establishment" – como ousadia impolida e abuso intolerável, quando não como conspiração de extrema direita.

A revolução cultural, aqui, já alcançou seu máximo triunfo, que é o de tornar proibitiva a sua própria discussão. Pouparei aos leitores o relato dos constrangimentos, ameaças e boicotes que tenho sofrido em resposta à minha simples iniciativa de analisar e mostrar à plena luz do dia a marcha de uma revolução que desejaria poder continuar florescendo à sombra protetora do implícito, do nebuloso e do não declarado. Mas, quando um escritor independente, isolado, sem conexões políticas ou protetores de espécie alguma, é combatido não por meio de argumentos e sim de manobras de bastidores e mobilizações coletivas de ódio, como se fosse um governante ou um poderoso líder de massas, então é que a atividade intelectual já se encontra inteiramente submetida aos cânones da "revolução cultural", e quem quer que ouse contrariá-los, mesmo em pura teoria, mesmo a título pessoal e sem qualquer pretensão de reagir politicamente ao curso dos acontecimentos, já é considerado um elemento perigoso e um inimigo do povo.

DOUTRINAÇÃO DIFUSA[55]

Um público que está contaminado de doutrinação marxista até a medula não tem, por isso mesmo, a menor idéia de que está sendo doutrinado. A primeira etapa da doutrinação é puramente cultural, difusa, e não visa a incutir no sujeito a menor convicção política explícita, mas apenas a moldar sua cosmovisão segundo as linhas básicas da filosofia marxista, sem este nome, naturalmente, e apresentada como se fosse "o" conhecimento em geral. Com exceção de um reduzidíssimo número de intelectuais que estudaram criticamente o movimento comunista e das pessoas demasiado pobres que não receberam educação nenhuma, são raros os cidadãos brasileiros que já não estejam conquistados para essa visão do mundo, no mínimo por desconhecer que ela é uma visão e não o próprio mundo.

Em especial, a explicação da história com base no esquema marxista das classes sociais economicamente definidas, que é o terreno prévio para uma doutrinação mais ativa, já se pode considerar definitivamente integrada nos esquemas de pensamento da mídia e da população instruída, ao ponto de que ninguém, aí, tem a consciência de que ela é apenas uma teoria entre outras e todos a tomam como se fosse um traslado direto da realidade vivida. Por menos que ela coincida com a efetiva distribuição das forças no panorama social brasileiro, o cidadão espontaneamente apela aos seus conceitos básicos - se não à sua nomenclatura ~ para expressar o que acha que se passa na sociedade. Assim, por exemplo, a burocracia estatal, em vez de ser encarada como uma força autônoma ~ o que é um traço característico da

---

[55] Publicado em *O Globo*, em 27 de janeiro de 2001.

sociedade brasileira – e embora nela se recrute a maior parte da militância esquerdista, se tornou invisível o bastante para que os efeitos de suas ações sejam atribuídos à "classe dominante", compreendida no sentido de "os ricos" ou "os capitalistas". A classe média, que abrange 46% da nossa população e inclui a quase totalidade das pessoas politicamente atuantes (sobretudo na esquerda), não tem nenhuma consciência de si como entidade distinta, mas cada um, dentro dela, espontaneamente divide o quadro social entre os "os ricos" e os "os pobres", tomando os discursos partidários como se fossem traduções fiéis das realidades sociológicas subjacentes e catalogando-se a si mesmo na classe dos pobres, sem reparar que os pobres o colocam na classe dos ricos e, na verdade, o invejam e o odeiam mais do que a qualquer banqueiro. A alienação entre a realidade social e o discurso de auto-explicação, em tais circunstâncias, é total.

Com igual facilidade, a compreensão das idéias como expressões estereotipadas de interesses de classe é projetada sobre a imagem do nosso passado histórico, passando como um trator sobre o fato, facilmente comprovável mas marxisticamente inexplicável, de que no Brasil os discursos ideológicos quase nunca coincidem com os interesses objetivos das classes sociais envolvidas. Na educação pública, nos livros, nos programas pretensamente educativos da TV, a redução marxista das criações culturais a superestruturas dos interesses de classe já está tão profundamente integrada no vocabulário corrente que quem deseje apresentar alguma outra versão da história não tem nem por onde começar a se explicar e pode até cair no ridículo ao bater de frente com o "senso comum" (no sentido gramsciano do termo).

De maneira bastante compreensível, mas nem por isto menos irônica, quanto mais limitado o horizonte de uma pessoa esteja aos cânones da vulgata marxista, mais ela reagirá com quatro pedras na mão à denúncia de que existe propaganda do marxismo no Brasil e, mais ainda, à idéia de que os comunistas tenham algum poder entre nós. Ser invisível, já dizia René Guénon, é da essência mesma do poder.

Uma segunda fase da doutrinação é a que vai associar, ao estereótipo das classes, os valores morais e emocionais necessários a despertar reações de agrado ou desagrado conforme o discurso ouvido soe de maneira a parecer associado aos "interesses de classe" dos bondosos pobres ou dos malvados ricos, por menos que, objetivamente, tenham algo a ver com isso. O discurso em favor da livre empresa, por exemplo, embora objetivamente fale em favor da imensa população pobre que vive da economia informal, é rejeitado como defesa dos interesses da "elite" e das multinacionais, enquanto o discurso estatizante, embora não arranhe no mais mínimo que seja os interesses das classes ricas e de fato fortaleça a burocracia onipotente que reduz o país à pobreza mediante uma carga tributária escorchante, é facilmente aceito como tradução dos interesses dos "excluídos". Da alienação passa-se então à alucinação, mas, não por coincidência, a própria angústia decorrente do vago pressentimento da loucura é em seguida explorada para gerar mais ódio à imagem estereotipada da "classe dominante", responsabilizada por todos os males e personificada em indivíduos e grupos que, na verdade, não são dominantes de maneira alguma e funcionam como puros bodes expiatórios, como por exemplo os militares. A tal ponto os símbolos convencionais se substituem à percepção dos fatos que um acontecimento como o Fórum Social Mundial, em Porto Alegre, é passivamente aceito pelo seu valor nominal de manifestação antiglobalista, malgrado o apoio que recebe da ONU, o coração da Nova Ordem Mundial, bem como da rede mundial de ONGs que estão para a ONU como as veias e artérias estão para o coração.

OS GURUS DO CRIME[56]

"Intelectuais iluminados não são curiosidades inofensivas. São maníacos perigosos"
~ Eric Voegelin.

Toda a ciência social do mundo, a marxista inclusa, ensina que nunca as condições materiais e econômicas determinam diretamente a conduta dos homens, mas que o fazem sempre e somente através da interpretação que estes lhes dão, isto é, através dos fatores ideológicos, culturais, morais e psicológicos envolvidos no processo.

Um exemplo tornará isso mais claro. Toda hora aparecem na TV e nos jornais pessoas cultíssimas, sabedoras, iluminadas, as quais nos asseguram, com ar de certeza infalível, que a miséria produz a criminalidade. O sujeito trafica, assalta, mata e estupra porque é um excluído, um miserável, um favelado. É o que dizem. Mas – digo eu e dizem os fatos – se o excluído, o miserável, o favelado é também evangélico, ele não trafica, nem assalta, nem mata, nem estupra. Se fazia essas coisas antes da conversão, cessa de fazê-las imediatamente ao converter-se. Qual a diferença? Não é econômica, decerto. É cultural, é moral, é psicológica e espiritual. O sujeito, ao converter-se, sofre ainda o impacto cruel da miséria, da exclusão, do compressivo estreitamento de suas possibilidades de ação na sociedade. Apenas, deixou de acrescentar a esses males o mal ainda maior da prática do crime. Ele ainda está na mesma situação, materialmente falando. Apenas, passou a interpretá-la segundo outros valores, outros símbolos, outros critérios. Isso faz, no pobre como no rico, toda a diferença entre o criminoso e o homem de bem. A experiência de milhares de evangelizadores e evangelizados, inclusive dentro dos presídios, comprova que, na produção como na supressão

---

56 Publicado em *O Globo*, 24 de fevereiro de 2001.

da criminalidade, o peso dos fatores morais e culturais é infinitamente mais decisivo do que a situação material em si. Eis o motivo pelo qual, nas cadeias, a gerência do crime odeia aqueles a quem pejorativamente chama "os bíblias". Eis o motivo pelo qual, na Colômbia, as FARC já mataram 70 pastores evangélicos e, pelo seu porta-voz Mono Jojoy, anunciaram que vão matar todos os outros.

Bastam essas observações para nos fazer perceber que a parte mais audível e vistosa da discussão do problema da criminalidade no Brasil é pura fraude. Essa discussão caracteriza-se, da maneira mais geral e patente, pelo esforço de explicar tudo diretamente pelas condições materiais, omitindo os demais fatores mencionados. E é assim por um motivo muito simples: esses fatores não são produzidos pela situação material mesma, como emanação natural e espontânea, mas são introduzidos nela desde fora e desde cima, pela ação dos criadores de cultura, dos "intelectuais" (no sentido gramsciano e elástico do termo). Ora, quem são os cérebros iluminados que, nas horas de crise e agonia, aparecem na TV e nos jornais para receitar soluções? São os próprios intelectuais militantes. Quando esses homens, ao analisar uma situação catastrófica, omitem o elemento cultural, estão ocultando a contribuição que eles próprios deram à produção da catástrofe.

Se fossem honestos, jamais fariam isso. A primeira obrigação do intérprete da sociedade é discernir sua própria posição, sua própria atuação na cena descrita, para neutralizar o quanto possível a distorção subjetiva ou interesseira. Ora, no Brasil o cuidado primordial dos opinadores é fingir que estão fora do quadro, é lançar tudo à conta de causas externas justamente para que ninguém perceba que eles próprios são o item número um do rol de causas.

O debate em torno da criminalidade tem sido uma gigantesca máquina de auto-ocultação dos culpados. Há cinqüenta anos a cultura que produzem, interpretando postiçamente o banditismo como expressão direta e legítima de uma justa revolta contra a sociedade injusta, atua como poderoso mecanismo de chantagem emocional que desarma moralmente o aparelho repressivo, ao mesmo tempo que infunde nos delinquentes uma ilimitada autoconfiança e lhes fornece o discurso de autolegitimação ideológica para a abdicação dos últimos escrúpulos, para a passagem da violência caótica e imediatista à violência organizada, politizada, que se viu na rebelião simultânea de 29 presídios paulistas.

Alguns desses gurus do crime vão até além disso, ensinando aos delinquentes as formas de organização revolucionária que aprenderam em seus partidos ou em Cuba. Depois aparecem ante as câmeras, fingindo desinteresse generoso e superior isenção científica.

Todos esses fatos são empiricamente verificáveis, e a conclusão a que levam não tem nenhum meio racional de ser impugnada: os acontecimentos sangrentos da semana passada foram – como o serão os próximos do mesmo teor – o efeito lógico e inevitável de uma ação coerente, contínua, pertinaz, empreendida pela intelectualidade ativista na intenção de fomentar a revolta e transformar o Brasil primeiro numa Colômbia, depois numa Cuba.

As péssimas condições do sistema carcerário, as prodigiosas dificuldades econômicas da população, as frustrações de milhões de excluídos, as injustiças e as maldades do sistema não produziram a rebelião organizada e politizada dos detentos: o que a produziu foi a crença, artificialmente inculcada nos delinquentes pelos intelectuais, de que essas circunstâncias deprimentes justificam que detentos se organizem politicamente para a ação violenta. O que a produziu não foi nenhum desejo sincero de suprimir ou remediar aqueles males, todos eles remediáveis, todos eles suprimíveis, mas sim o de lhes acrescentar o mal irremediável e irreversível por excelência: a organização revolucionária da brutalidade coletiva.

São culpados da rebelião carcerária todos os que, há cinco décadas, a desejam e a fomentam com seus discursos ideológicos, seja por decisão voluntária ou por cumplicidade sonsa. São culpados todos os que, rejeitando nominalmente esses discursos, se abstêm de combatê-los sob a desculpa infame de que se tornaram inofensivos após a queda do Muro de Berlim. São culpados todos os que, sabendo que doses letais de ódio revolucionário são diariamente injetadas nas cabeças de milhões de crianças brasileiras, nada fazem para desmascarar essa pedagogia do abismo. São culpados todos os que, por comodismo, por paternalismo, por medo de levar na testa rótulos pejorativos, por desejo abjeto de fazer bonito ante o esquerdismo chique, não movem um dedo para impedir que a cultura e a psique da nossa gente seja infectada com os germes dos mais baixos instintos de vingança política, adornados com rótulos edificantes como se fossem a expressão mais alta da moralidade humana.

DO MARXISMO CULTURAL[57]

Segundo o marxismo clássico, os proletários eram inimigos naturais do capitalismo. Lênin acrescentou a isso a idéia de que o imperialismo era fruto da luta capitalista para a conquista de novos mercados. Conclusão inevitável: os proletários eram também inimigos do imperialismo e se recusariam a servi-lo num conflito imperialista generalizado. Mais apegados a seus interesses de classe que aos de seus patrões imperialistas, fugiriam ao recrutamento ou usariam de suas armas para derrubar o capitalismo em vez de lutar contra seus companheiros proletários das nações vizinhas.

Em 1914, esse silogismo parecia a todos os intelectuais marxistas coisa líquida e certa. Qual não foi sua surpresa, portanto,

---

57 Publicado em *O Globo*, em 8 de junho de 2002.

quando o proletariado aderiu à pregação patriótica, alistando-se em massa e lutando bravamente nos campos de batalha pelos "interesses imperialistas"!

O estupor geral encontrou um breve alívio no sucesso bolchevique de 1917, mas logo em seguida veio a se agravar em pânico e depressão quando, em vez de se expandir para os países capitalistas desenvolvidos, como o previam os manuais, a revolução foi sufocada pela hostilidade geral do proletariado.

Diante de fatos de tal magnitude, um cérebro normal pensaria, desde logo, em corrigir a teoria. Talvez os interesses do proletariado não fossem tão antagônicos aos dos capitalistas quanto Marx e Lênin diziam.

Mas um cérebro marxista nunca é normal. O filósofo húngaro Gyorgy Lukács, por exemplo, achava a coisa mais natural do mundo repartir sua mulher com algum interessado. Pensando com essa cabeça, chegou à conclusão de que quem estava errado não era a teoria: eram os proletários. Esses idiotas não sabiam enxergar seus "interesses reais" e serviam alegremente a seus inimigos. Estavam doidos. Normal era Gyorgy Lukács. Cabia a este, portanto, a alta missão de descobrir quem havia produzido a insanidade proletária. Hábil detetive, logo descobriu o culpado: era a cultura ocidental. A mistura de profetismo judaico-cristão, direito romano e filosofia grega era uma poção infernal fabricada pelos burgueses para iludir os proletários. Levado ao desespero por tão angustiante descoberta, o filósofo exclamou: "Quem nos salvará da cultura ocidental?".

A resposta não demorou a surgir. Felix Weil, outra cabeça notável, achava muito lógico usar o dinheiro que seu pai acumulara no comércio de cereais como um instrumento para destruir, junto com sua própria fortuna doméstica, a de todos os demais burgueses. Com esse dinheiro ele fundou o que veio a se chamar "Escola de Frankfurt": um *think tank* marxista que, abandonando as ilusões de um levante universal dos proletários, passou a dedicar-se ao único empreendimento viável que restava: destruir a cultura ocidental. Na Itália, o fundador do Partido Comunista, Antônio Gramsci, fôra levado a conclusão semelhante ao ver o operiado trair o internacionalismo revolucionário, aderindo em massa à variante ultranacionalista de socialismo inventada pelo renegado Benito Mussolini. Na verdade os próprios soviéticos já não acreditavam mais em proletariado: Stálin recomendava que os partidos comunistas ocidentais recrutassem, antes de tudo, milionários, intelectuais e celebridades do *show business*. Desmentido pelos fatos, o marxismo iria à forra por meio da auto-inversão: em vez de transformar a condição social para mudar as mentalidades, iria mudar as mentalidades para transformar a condição social. Foi a primeira teoria do mundo que professou demonstrar sua veracidade pela prova do contrário do que dizia.

Os instrumentos para isso foram logo aparecendo. Gramsci descobriu a "revolução cultural", que reformaria o "senso comum" da humanidade, levando-a a enxergar no martírio dos santos católicos uma sórdida manobra publicitária capitalista, e faria dos intelectuais, em vez dos proletários, a classe revolucionária eleita. Já os homens de Frankfurt, especialmente Horkheimer, Adorno e Marcuse, tiveram a idéia de misturar Freud e Marx, concluindo que a cultura ocidental era uma doença, que todo mundo educado nela sofria de "personalidade autoritária", que a população ocidental deveria ser reduzida à condição de paciente de hospício e submetida a uma "psicoterapia coletiva".

Estava portanto inaugurada, depois do marxismo clássico, do marxismo soviético e do marxismo revisionista de Eduard Bernstein (o primeiro tucano), a quarta modalidade de marxismo: o marxismo cultural. Como não falava em revolução proletária nem pregava abertamente nenhuma truculência, a nova escola foi bem aceita nos meios encarregados de defender a cultura ocidental que ela professava destruir.

Expulsos da Alemanha pela concorrência desleal do nazismo, os frankfurtianos encontraram nos EUA a atmosfera de liberdade ideal para a destruição da sociedade que os acolhera.

Empenharam-se então em demonstrar que a democracia para a qual fugiram era igualzinha ao fascismo que os pusera em fuga. Denominaram sua filosofia de "teoria crítica" porque se abstinha de propor qualquer remédio para os males do mundo e buscava apenas destruir: destruir a cultura, destruir a confiança entre as pessoas e os grupos, destruir a fé religiosa, destruir a linguagem, destruir a capacidade lógica, espalhar por toda parte uma atmosfera de suspeita, confusão e ódio. Uma vez atingido esse objetivo, alegavam que a suspeita, a confusão e o ódio eram a prova da maldade do capitalismo.

Da França, a escola recebeu a ajuda inestimável do método "desconstrucionista", um charlatanismo acadêmico que permite impugnar todos os produtos da inteligência humana como truques maldosos com que os machos brancos oprimem mulheres, negros, gays e tutti quanti, incluindo animais domésticos e plantas.

A contribuição local americana foi a invenção da ditadura lingüística do "politicamente correto".

Em poucas décadas, o marxismo cultural tornou-se a influência predominante nas universidades, na mídia, no show business e nos meios editoriais do Ocidente. Seus dogmas macabros, vindo sem o rótulo de "marxismo", são imbecilmente aceitos como valores culturais supra-ideológicos pelas classes empresariais e eclesiásticas cuja destruição é o seu único è incontornável objetivo. Dificilmente se encontrará hoje um romance, um filme, uma peça de teatro, um livro didático onde as crenças do marxismo cultural, no mais das vezes não reconhecidas como tais, não estejam presentes com toda a virulência do seu conteúdo calunioso e perverso.

Tão vasta foi a propagação dessa influência, que por toda parte a idéia antiga de tolerância já se converteu na "tolerância libertadora" proposta por Marcuse: "Toda a tolerância para com a esquerda, nenhuma para com a direita". Aí aqueles que vetam e boicotam a difusão de idéias que os desagradam não sentem estar praticando censura: acham-se primores de tolerância democrática.

Por meio do marxismo cultural, toda a cultura transformou-se numa máquina de guerra contra si mesma, não sobrando espaço para mais nada.

TRANSIÇÃO REVOLUCIONÁRIA[58]

A mídia nacional já levou longe demais essa farsa de rotular o tucanato de "direita", um truque inventado pela esquerda para poder condenar como extremismo e fascismo tudo o que esteja à direita de FHC, ou seja, à direita da centro-esquerda.

Se é verdade que o atual presidente obedeceu em linhas gerais às exigências econômicas do FMI – coisa que qualquer outro faria no lugar dele e que o próprio Lula promete fazer igual, o que não torna nem um nem o outro direitistas –, por outro lado o presente governo subsidiou fartamente com dinheiro público o crescimento da mais poderosa organização revolucionária de massas que já houve na América Latina, introduziu ou ao menos permitiu a doutrinação marxista nas escolas, instituiu a beatificação oficial de terroristas aposentados e a concomitante desmoralização das Forças Armadas, generalizou o uso de critérios morais "politicamente corretos" para o julgamento das questões públicas e destruiu uma por uma as lideranças regionais mais ou menos "conservadoras" que restavam, além de deixar montado todo o aparato legal e fiscal que seu sucessor necessitará para criminalizar a atividade capitalista, sufocar as críticas de oposição e, tendo feito tudo dentro da lei, poder posar de democrático. Democrático no sentido de Hugo Chavez, é claro.

Sem tocar nos interesses internacionais, mas seguindo estritamente a receita de guinada à esquerda que lhe foi preparada

---
58 Publicado em *Zero Hora*, em 25 de agosto de 2002.

desde 1998 por Alain Touraine, FHC fez mais pelo avanço da revolução comunista no Brasil do que o próprio João Goulart, que ficou só na ameaça.

Se, não obstante, seu governo ainda é rotulado de "direitista", é somente graças a um fenômeno bastante conhecido na mecânica das revoluções: sempre que uma facção revolucionária toma o poder, suas próprias dissensões internas se substituem às divisões de partidos e facções existentes no regime anterior. Assim, por exemplo, após a revolução de 1917, a ala revolucionária menchevique passou a ser atacada pela ala radical como direitista e reacionária. Evidentemente, o sentido de "direita" havia mudado por completo: antes, era ser contra a revolução; agora, era não ser revolucionário o bastante. A diferença entre o caso russo e o brasileiro é que naquele a mudança foi declarada e consciente, ao passo que entre nós ela está proibida de ser mencionada em público.

Um dos elementos primordiais da revolução cultural gramsciana em curso é o lento e inexorável deslocamento de todo o eixo de referência dos debates públicos para a esquerda, de modo a estreitar a margem de direitismo possível e, aos poucos, substituir a direita genuína pela facção direita da própria esquerda ou por algum fanatismo hidrófobo estereotipado e fácil de desmoralizar. O processo deve ser conduzido de maneira tácita e, se alguém o denuncia, negado com veemência. As coisas devem acontecer como se não estivessem acontecendo. Os discordes e recalcitrantes, mais que censurados, são jogados para o limbo da inexistência e se tornam tão deslocados que parecem malucos.

Poucos brasileiros se dão conta da profundidade das mudanças políticas por que este país passou ao longo dos últimos quinze anos. Elas podem ser resumidas assim: a oposição de esquerda ao antigo regime militar tomou o poder, ocupa todos os postos do governo e da oposição e não deixa lugar para mais ninguém. Os poucos remanescentes do antigo regime se apegam desesperadamente aos últimos resíduos de poder que lhes sobram em escala regional, ao passo que na disputa nacional não podem aspirar senão ao papel de auxiliares e meninos de recados de alguma das facções esquerdistas em disputa. As presentes eleições deixaram isso muito claro.

À completa liquidação da direita corresponde, quase instantaneamente, a institucionalização de uma das facções de esquerda no papel de "direita" – uma direita fabricada ad hoc para as necessidades da esquerda.

O processo foi enormemente facilitado pelo fato de que, nas eleições legislativas federais, estaduais e municipais, o Brasil tem uma das mais altas taxas de substituição de políticos já observadas no mundo. A transfusão de lideranças, a completa destruição de uma classe e sua substituição por outra já são fatos consumados. A revolução está em curso. Se vai descambar para a destruição violenta das instituições ou se vai chegar a seus fins por via anestésica, é algo que só o futuro dirá. Mas negar o caráter revolucionário das mudanças observadas é realmente abusar do direito à cegueira.

Alguns enxergam essas mudanças, mas só parcialmente e segundo um viés predeterminado. Notam, por exemplo, a destruição de velhas lideranças, abominadas como "corruptas", e vêem nisso um progresso da democracia -- sem reparar que não há progresso nenhum numa caçada a corruptos de menor porte que serve apenas de disfarce para encobrir o crime infinitamente maior em que estão envolvidos os próprios moralizadores mais estusiásticos: a narcoguerrilha, o terrorismo internacional, a revolução continental.

Que, no meio, surjam algumas situações paradoxais – como por exemplo o fato de que o próprio Partido Comunista, com nome trocado, acabe aparecendo como única alternativa à ascensão da esquerda revolucionária –, é coisa que faz parte da natureza intrinsecamente nebulosa do processo. E que ninguém seja capaz de discernir por baixo do paradoxo a lógica implacável que leva este país dia a dia para dentro do bloco terrorista internacional, é sintoma do mesmo turvamento geral das consciências, sem o qual nenhum processo revolucionário jamais teria sido levado a efeito no mundo.

ANTONIO GRAMSCI E A TEORIA DO BODE[59]

Num debate de que participei na Faculdade de Direito da Universidade Federal do Paraná, estava eu a expor a estratégia gramsciana da ocupação de espaços e da fabricação de consensos, quando meu oponente, desejando enaltecer a figura do ideólogo italiano que minhas palavras pareciam depreciar, alegou ser ele hoje em dia o autor mais citado em trabalhos universitários no Brasil e no mundo.

A platéia não resistiu: explodiu numa gargalhada. Nunca uma pretensa refutação confirmara tão literalmente as afirmações refutadas.

Mas a alegação em favor de Gramsci é correta. Se há um consenso imperante nos meios acadêmicos ao menos brasileiros, é aquele que faz do fundador do Partido Comunista Italiano o mais importante dos pensadores, mais importante, sob certos aspectos, do que o próprio Karl Marx.

Esse consenso produziu-se aliás pelos mesmos meios preconizados por Gramsci para a imposição de qualquer outra idéia: primeiro os adeptos da idéia "ocupam os espaços", apropriando-se de todos os meios de divulgação; depois conversam entre si e dizem que as conclusões da conversa expressam o consenso universal.

A coisa, dita assim, parece um estelionato grosseiro. Ela é de fato um estelionato – e na invenção desse estelionato consiste toda a pretensa genialidade de Antonio Gramsci –, mas não é nada grosseira: a fabricação do simulacro de debate chega ao requinte de forjar previamente toda uma galeria das oposições

---

59 Publicado em *IEE*, edição nº 31 de 29 de outubro de 2002.

admitidas, que são precisamente aquelas cujo confronto levará fatalmente à conclusão desejada. As demais são excluídas como aberrantes, criminosas, sectárias ou não representativas. Não é preciso dizer que, no debate letrado nacional, eu em pessoa pertenço a essas quatro classes, ora de maneira simultânea, ora alternada, conforme as necessidades do momento, o que já levou mais de um gramsciano a me condenar, ao mesmo tempo, como um esquisitão isolado e como porta-voz dos donos da mídia...

Que essa cínica engenharia de dirigismo mental passe hoje por sinônimo de "democracia", é algo que a perfídia consciente só explica em parte. Na cabeça dos gramscianos, acontece também um fenômeno muito estranho, que exemplifica a famosa "teoria do bode". Você está com problemas, põe um bode dentro de casa e logo os seus problemas desaparecem, obscurecidos pela presença de um bicho que come todas as suas roupas, os seus móveis, o seu dinheiro e os seus documentos. Então você manda o bode embora e fica sem bode e sem problemas. Esses comunistas passaram, no século vinte, as piores humilhações. Cada partido que formavam virava imediatamente uma máquina de controle repressivo interno, mais sufocante que a Inquisição. Se fossem perseguidos pela direita, isso lhe infundiria orgulho e autoconfiança. Oprimidos por seus próprios líderes, como é que ficava sua auto-imagem? Ninguém no mundo matou mais comunistas do que Lênin, Stálin e Mao Tsé-tung. Eles superaram, nisso, todas as ditaduras de direita somadas. Isso dá um complexo danado, não dá? Bem, comparada aos horrores físicos do "socialismo real", a opressão meramente psicológica parece um alívio. De bom grado qualquer um de nós, entre o pelotão de fuzilamento e a manipulação gramsciana, escolheria esta última e até a celebraria como uma forma de "liberdade".

Tratados como cães por seus próprios mentores e chefes, os comunistas e socialistas, quando entram na atmosfera gramsciana, estão como um cachorro que foi tirado da carrocinha e amarrado à coleira do dono. Sua nova sujeição é o máximo de liberdade que ele pode conceber. É a vida sem bode.

O problema é que esses indivíduos de mentalidade escrava, sendo ao mesmo tempo, no seu próprio entender, o ápice da inteligência humana, não podem conceber que outras pessoas tenham experimentado doses de liberdade bem maiores. Libertos de Stalin e Mao, acham sua nova escravidão linda e confortável, e acreditam piamente que o restante da humanidade não aspira a outra coisa senão a dobrar servilmente a espinha às exigências do "consenso" gramsciano. Daí o orgulho, a alegria e o sentimento de sincera generosidade com que eles nos oferecem esse lixo, seguros de que é a coisa mais preciosa do mundo.

Alguns de nós são tolos o bastante para aceitar por mera educação a oferta desprezível, e acabam presos nas malhas do "consenso". Da minha parte, não quero saber de nada disso. Que vão oferecer a outro sua miserável liberdade de escravos satisfeitos.

QUE É HEGEMONIA?[60]

Dois acontecimentos importantes da semana passada mereceram pouca ou nenhuma atenção da mídia brasileira: o estrondoso sucesso da visita de George W. Bush à Romênia e os 70 anos do genocídio soviético na Ucrânia. Claro: nenhum fato que deponha a favor dos EUA ou contra o socialismo é admitido pela nossa classe jornalística, reduzida cada vez mais à condição de mera força auxiliar da "revolução cultural" gramsciana.

Poucos povos têm a consciência histórica dos romenos. Já fiz várias viagens à Romênia, tenho uma infinidade de amigos lá, e todos eles, desde as estrelas máximas da intelectualidade como os filósofos Andrei Pleşu e Gabriel Liiceanu até motoristas de táxi e empregadas domésticas, desde patriarcas centenários até garotos de ginásio, sabem de cor e salteado a epopéia das lutas

---

60 Publicado em *Zero Hora*, ao 1º de dezembro de 2002.

e sofrimentos do seu país ao longo de seis décadas de totalitarismo, primeiro nazista, depois comunista. Mais ainda: têm uma aguda consciência de que nenhuma nação que tenha vivido essas experiências pode saltar alegremente para o futuro, varrendo o passado para baixo do tapete. Quando Pleshu, então ministro das Relações Exteriores, descobriu documentos que incriminavam seu amigo e mestre Dan Lazarescu como colaborador da polícia secreta do extinto regime, a decisão de divulgá-los deve ter-lhe doído como se cortasse na própria carne. Lazarescu, decano do Senado, historiador e erudito, era um ídolo nacional, além de grão-mestre da Maçonaria – e por meio dele centenas de maçons e não-maçons tinham encontrado o caminho da prisão e da morte. A revelação de seus crimes foi um trauma que poucas nações suportariam sem cair imediatamente em dúvidas inquietantes sobre o seu próprio futuro. A recepção entusiástica a George W. Bush mostra a firmeza inalterada da opção do povo romeno pelo modelo ocidental de democracia, sem concessões ao anti-americanismo fácil de tantos povos europeus. Franceses e alemães podem ter esquecido que devem sua liberdade aos americanos. Os romenos não o esquecerão facilmente.

O massacre dos ucranianos pela "arma da fome", empreendido por Stalin entre os anos 32 e 33, também não será esquecido, malgrado os esforços censórios da nossa mídia. Negado durante décadas pela imprensa "progressista chique" do Ocidente, hoje é fato perfeitamente assimilado pela historiografia mundial, sobretudo depois que a abertura dos Arquivos de Moscou e os trabalhos da Comissão de Investigações sediada em Montreal confirmaram o relato apresentado pelo historiador Robert Conquest no clássico *Harvest of Sorrow*. Terça-feira passada, na Sociedade dos Amigos da Cultura Ucraniana, em Curitiba, assisti a um filme produzido pela Comissão com trechos de documentários da época filmados *in loco*. Foram sete milhões de mortos, a maioria crianças – uma Biafra tamanho gigante, só que criada de propósito para a eliminação de resistências.

Essa diferença, é claro, não absolve o socialismo africano. Num levantamento feito em 1985 pela ONU em vinte países da África assolados pela miséria e pela fome, todos, sem exceção, tinham adotado na década anterior políticas agrárias socialistas, controle de preços, supressão dos intermediários – toda a parafernália estatizante que, num país de agricultura enormemente produtiva como o Brasil, ainda há quem apresente como solução "humanizadora". Somem a isso algumas dezenas de milhões de vítimas do "Grande Salto para a Frente" chinês, e verão que, seja de propósito, seja pela inépcia de suas políticas econômicas, nenhum regime, em qualquer época que fosse, matou tanta gente de fome quanto o socialismo. São coisas que têm de entrar em discussão num momento em que o governador Germano Rigotto, revelando um fundo mórbido de escrúpulos socialistas em sua mentalidade democrática, hesita em cortar os subsídios ao próximo Fórum Social Mundial. Pois deveria não somente cortá-los, mas abrir inquérito para averiguar se os dois Fóruns anteriores não foram um abuso, um desperdício de dinheiro público em propaganda ideológica de um regime genocida. Por que tantas deferências, tantos salamaleques, tantas obscenas genuflexões de democratas ante a propaganda socialista, como se esta, com todos os crimes hediondos que legitimou ao longo de um século, estivesse por isto investida de uma excelsa autoridade moral? O governo do Estado subsidiaria um congresso de propaganda liberal ou conservadora? E, se o fizesse, não se defrontaria no ato com o clamor petista por investigações e punições? Por que os democratas usam de dois pesos e duas medidas contra si mesmos, favorecendo o adversário "para não dar má impressão"? Quem não percebe nesse temor, nessa fraqueza, o triunfo da hegemonia esquerdista, que logrou desarmar psiquicamente o adversário, reduzindo-o a colaborador e escravo?

Àqueles que crêem que o projeto gramsciano é de transição indolor para o socialismo, é bom lembrar que Gramsci jamais abdicou da estratégia leninista de violência e terror. Apenas julgava conveniente adiar-lhe a aplicação até à completa destruição ideológica do "inimigo de classe". Nesse sentido, nada acrescentou à técnica stalinista. O exemplo ucraniano mostra bem isso: primeiro Stalin demoliu a religião, a cultura e a moral dos ucranianos. Só depois empreendeu o assalto à propriedade e por fim o confisco das reservas de alimentos, matando os adversários de fome. O *timing* da operação foi perfeitamente gramsciano.

A demolição das defesas ideológicas dos democratas, no Brasil, já está bem avançada. Tão avançada, que eles se curvam espontaneamente à arrogância dos novos senhores, evitando magoar suas suscetibilidades com a lembrança de seu passado de crimes e perversidades. Um partido de esquerda muda de nome, e pronto! Num relance, está absolvido de quatro décadas de apoio moral ao genocídio. Quem, na "direita", goza de tamanho privilégio?

Tão longe vai a subserviência, que ela não molda só o presente, mas remolda o passado. Num livro recém-lançado por um jornalista célebre, com pretensões a meticuloso registro histórico do regime militar, não encontro uma só vez a sigla "KGB". Na época, a espionagem soviética tinha centenas de agentes de influência, pagos, na mídia nacional. Chegou a instalar um grampo no gabinete do presidente Figueiredo. Foi uma das forças básicas que criaram a história do período, incompreensível sem o conhecimento desse fator. E tudo isso desaparece, falseando radicalmente o quadro. A Guerra Fria narrada ao nosso público não se travou entre duas potências mundiais, uma democrática, a outra totalitária, mas entre malvados imperialistas ianques e heróicos democratas brasileiros – exatamente como a pintava, naquele tempo, a propaganda soviética. Hegemonia é isso.

NOSSA MÍDIA E SEU GURU[61]

O mais lindo espetáculo dos últimos tempos não foi a posse de Lula, escoltado por Fidel Castro, Hugo Chávez e uma

---
61 Publicado em *Folha de São Paulo*, em 7 de janeiro de 2003.

penca de veteranos do terrorismo, numa praça adornada de milhares de bandeiras vermelhas e nenhuma do Brasil. O mais lindo espetáculo dos últimos tempos é a tranquilidade com que, diante disso, a mídia nacional assegura que não há mais comunistas em ação no mundo e que o país, no novo governo, tem o futuro assegurado de uma genuína democracia. Nunca uma mentira tão óbvia foi sustentada com tão acachapante unanimidade, num insulto coletivo à inteligência popular, que, ao não se sentir ofendida por isso, mostra não ter mesmo muito respeito por si própria.

Não encontro precedentes históricos para tão estranho fenômeno, mas encontro paralelos em outros que, ao mesmo tempo, sucedem na mesma mídia. Querem ver um? A onda de indignação geral contra Chávez é mil vezes maior e as acusações que pesam sobre ele mil vezes mais graves do que tudo quanto, no Brasil, bastou para dar razão de sobra à derrubada de Collor. Não obstante esta é celebrada até hoje como uma apoteose da democracia, enquanto o movimento dos venezuelanos é pejorativamente rotulado de "tentativa de golpe".

A duplicidade de critérios é tão patente, tão descarada que ela basta para mostrar que o jornalismo nacional está morrendo, substituído pela propaganda pura e simples. Muitos jornalistas negarão isso, fazendo-se de escandalizados, mas suas caretas de dignidade afetada não me convencerão. Pois eles próprios não escondem seu orgulho de ter abandonado as antigas regras de objetividade e isenção para adotar uma ética de dirigismo militante. Não querem mais ser meros portadores de notícias. Querem ser "agentes de transformação social". Um agente de transformação não se contenta em dar informações: manipula-as para produzir um efeito calculado. Os jornalistas brasileiros estão de tal modo adestrados para isso que já o fazem até sem perceber.

Como chegaram a tanto? Uma pista reside na influência exercida sobre eles, como sobre a totalidade das classes falantes, da leitura de Antonio Gramsci, hoje a obrigação central e quase única de quem passe por estudos ditos "superiores" neste país. Para que haveriam de embeber-se tanto das idéias de Gramsci, se fosse para se absterem de levá-las à prática? Mas essas idéias têm uma propriedade notável: quanto mais um homem se intoxica delas, menos percebe o que têm de imoral e perverso.

Visto sem as lentes da devoção boboca, o gramcismo não passa de uma sistematização de intrujices. A hegemonia, segundo ele, deve ser conquistada pelos partidos de esquerda mediante "ocupação de espaços" na mídia, na educação etc. Ora, o que é "ocupação de espaços" senão mútua proteção mafiosa entre militantes, recusando emprego aos adversários e institucionalizando a discriminação ideológica como princípio de seleção profissional? Trinta anos dessa prática e já não resta nas redações nenhum anticomunista. Dividido o espaço entre esquerdistas, simpatizantes e indiferentes, ninguém reclama e todos sentem viver na mais confortável democracia. A consciência moral dos jornalistas de hoje é pura inocência perversa.

Mas Gramsci não era um intrujão só na estratégia política. Manipulador, não hesitava em contar à filha pequena velhos contos de fadas esvaziados de seu simbolismo espiritual e adulterados em grosseira propaganda comunista. Sua própria imagem histórica é uma farsa. Beatificado como encarnação do intelectual proletário, só trabalhou em fábrica por tempo brevíssimo.

Chamar Gramsci de maquiavélico não é força de expressão. Filho de um corrupto, ele era neto espiritual do megacorruptor florentino. Orgulhava-se de ser discípulo de Maquiavel e descrevia o "Partido" como o "Novo Príncipe", encarnação coletiva do astuto golpista palaciano que conquistava o poder pisando nos cadáveres dos que o tinham ajudado a subir. Quando o Partido está fraco para o assalto direto ao poder, dizia Gramsci, deve formar um amplo "pacto social" baseado no "consenso", mas conservando para si a hegemonia, o primado das idéias e valores que soldam a aliança. Os aliados, acreditando agir no seu próprio interesse, serão levados a amoldar seu pensamento às categorias admitidas pelo Partido, que, parasitando suas energias, livrar-se-á deles no momento devido.

Gramsci não é maquiavélico só no sentido vulgar d'*O Príncipe*, mas também naquele, mais sutil e maldoso, dos "Discorsi". Nesta obra pouco lida, Maquiavel revela seu intuito de colocar o Estado em lugar do próprio Deus. Gramsci apenas acrescenta que, para isso, é preciso antes um Partido-deus. É aí que sua malícia chega a requintes quase demoníacos. Ele considerava o cristianismo o principal inimigo do socialismo. Sonhava com um mundo em que toda transcendência fosse abolida em favor de uma "terrestrialização absoluta", na qual a simples idéia de Deus e de eternidade se tornasse inacessível.

Mas não queria destruir a igreja como instituição, e sim usá-la como fachada. Para isso, propunha que os comunistas se infiltrassem nela, substituindo a antiga fé por idéias marxistas enfeitadas de linguagem teológica. Assim, a pregação comunista chegaria às massas sob outro nome, envolta numa aura de santidade.

A maior fraude religiosa de todos os tempos está hoje coroada de sucesso, o que não torna menos deformada e monstruosa a mentalidade do seu inventor. Nem menos desprezível a daqueles que o admiram por isso.

CEGUEIRA DUPLA[62]

O narcotráfico e a indústria dos seqüestros, na América Latina, não são "crimes comuns", no sentido de apolíticos. Muito menos são o efeito espontâneo de "problemas sociais". São atividades de guerra, coordenadas pelo mesmo movimento comunista internacional a que o sr. Luís Inácio da Silva agradeceu, sem muitos disfarces, a colaboração recebida para a sua eleição à presidência da República.

As FARC dominam quase por completo o mercado de drogas no continente, e cada seqüestro maior, rastreado, leva diretamente ao MIR chileno ou a outras organizações filiadas ao Foro de São Paulo.

---

62 Publicado em *O Globo*, ao 1º de fevereiro de 2003.

Esses fatos são tão evidentes, tão abundantemente comprovados, que sua ausência no temário dos debates públicos só pode ser explicada pela cumplicidade consciente ou inconsciente da mídia e dos poderes constituídos.

Mas isso não explica tudo. Uma longa e complexa conjunção de causas tornou os brasileiros cegos para as forças imediatas que decidem o curso do seu destino, ao mesmo tempo que hipersensíveis às miudezas diversionistas que dão assunto à tagarelice nacional. Entre o Brasil que existe e o Brasil de que se fala, nunca a distância foi tão grande.

Das causas a que aludi, duas devem ser destacadas.

De um lado, a duradoura articulação de relativismo cético e dogmatismo devoto na educação das classes letradas, orientada para neutralizar certas idéias por meio do questionamento insultuoso e manter outras a salvo de todo exame, envoltas numa aura de sacralidade intocável.

O leitor compreenderá facilmente o que quero dizer se notar que, nos círculos letrados deste país, as hipóteses mais escabrosamente pejorativas e até pornográficas a respeito de Nosso Senhor Jesus Cristo são aceitas com a maior naturalidade, ao passo que a mínima sugestão de alguma nódoa na pessoa moral de Antonio Gramsci ou de Che Guevara é recebida com escândalo e horror como se fosse blasfêmia. Não há exagero no que digo. As coisas são exatamente assim, e se o modo como as descrevo parece caricatura é porque a situação é caricatural em si.

Em abstrato, fé sectária e dúvida relativista são incompatíveis. Na mente fragmentária e centrífuga do brasileiro alfabetizado, coexistem sem maiores problemas, dividida a sua jurisdição em territórios estanques e incomunicáveis. O critério da divisão segue os cânones do marxismo cultural. Tudo o que pareça associado a valores tradicionais da civilização judaicocristã deve ser dissolvido num banho ácido de suspicácia maliciosa, mesmo ao preço de ultrapassar o limite da crítica racional e entrar no terreno da difamação pura e simples. Inversamente, símbolos, chavões e imagens que apontem para o lindo futuro da utopia socialista devem ser conservados num relicário, sob a guarda de um esquadrão de zelotes que oponham à primeira investida do olhar crítico uma barreira de exclamações indignadas e lágrimas de humilhação, fazendo saber ao intruso a magnitude do sofrimento que lhes infunde com suas perguntas ímpias e observações blasfemas. Raros críticos resistem a tão contundente chantagem moral. Daí a diferença de linguagem: os sacerdotes do culto supremo podem lançar sobre seus adversários a gama inteira das invectivações ultrajantes, chamá-los de cães, de ladrões, de lacaios do imperialismo, ao passo que estes devem entrar em cena como quem penetra num santuário, limitando-se a polidas objeções teoréticas precedidas de cerimoniosas demonstrações de bom-mocismo.

A instrumentalização da cultura para fins de socialismo reduziu a atividade intelectual brasileira a um jogo simiesco de encenações e trejeitos destinados a tornar invisíveis a maldade e o crime quando a serviço da facção política hegemônica.

Daí a desconversa geral quanto ao comando político do narcotráfico e dos seqüestros. Crimes são coisas ruins, portanto a mente formada nesse tipo de cultura recusa associá-los à imagem do bem, que é idêntico ao socialismo.

A segunda causa vem de outra fonte.

Durante os oito anos da sua gestão como presidente dos EUA, Bill Clinton fez tudo para "despolitizar" a imagem da criminalidade na América Latina, isto é, para limitar a ação repressiva à periferia das organizações criminosas, sem nunca tocar no seu centro vital.

Escorando-se na retórica triunfalista do "fim da Guerra Fria", ele ajudou o movimento comunista a fazer-se de morto para melhor assaltar o coveiro. Entre outras providências que seria longo enumerar aqui, ele amarrou as mãos do governo colombiano, condicionando toda ajuda americana a uma cláusula que só permite usá-la contra o narcotráfico enquanto tal, não contra a organização política e militar que o dirige. Resultado: as FARC, ao mesmo tempo que seu índice de popularidade na Colômbia baixava de 8 para 2 por cento, foram aceitas como representação política, cresceram até tornar-se a mais rica e poderosa força armada da América Latina e hoje dominam metade do território colombiano, onde impõem um sangrento regime comunista similar ao de Pol-Pot no Camboja.

Dizer que Clinton agiu assim por inépcia é fazer pouco da inteligência de um brilhante ex-aluno de Harvard. Mas seus motivos pouco importam. O que importa é que sua política fixou um padrão para o enfoque do problema da criminalidade na AL. Endossado pela mídia elegante dos EUA, imitado pela brasileira, impregnado assim no "senso comum" da nossa população, esse padrão pode ser resumido numa fórmula simples: é proibido investigar os mandantes do crime.

Há outros fatores, mas a associação de um hábito cultural com a legitimação vinda de uma política oficial norte-americana basta para tornar inacessível aos brasileiros, desde dois lados, a visão de uma realidade que em si é óbvia e patente. A convergência das causas na produção da cegueira dupla também não é mero acaso. Mas expor a conexão dos altos círculos clintonianos com a intelligentzia revolucionária da América Latina é tarefa demorada, que terá de ficar para outro dia.

DOMINADOR INVISÍVEL[63]

A doutrina marxista da "ideologia" impregnou-se de tal modo na cultura, que mesmo os indivíduos mais alheios a qualquer militância esquerdista acham natural esperar que toda idéia ou teoria se explique, em última análise, como instrumento das ambições de uma classe ou grupo, portanto como distorção interesseira, mito autojustificador ou propaganda.

Nessa perspectiva, não há mais conhecimento objetivo. A única maneira de um sujeito escapar da prisão ideológica é assumi-la

---

63 Publicado em *Jornal da Tarde*, em 24 de abril de 2003.

como fatalidade incontornável e incorporá-la na sua visão habitual do mundo, como um cavalo que comesse seus próprios arreios esperando, com isso, tornar-se cavaleiro. A nova objetividade do "intelectual orgânico" já não consiste em ver o mundo como é mas em transformá-lo em outra coisa para poder dizer, depois, que ele é exatamente isso.

Correntes de pensamento inteiramente alheias ao marxismo vieram a dar a esse doutrina insana algumas legitimações acidentais.

Nietzsche abominava o socialismo. Mas, rejeitando toda pretensão de veracidade como ilusão autolisonjeira de contemplativos doentes, e consagrando a "vontade de poder" como fundamento último da realidade e da ação humana, acabou dando aos dois socialismos, bolchevista e fascista, um pretexto admirável para que mandassem às favas os escrúpulos de argumentação racional e aderissem gostosamente à brutalidade da "ação direta" preconizada por Georges Sorel.

Freud, politicamente um conservador, deu impulso à destruição da fé no conhecimento ao vituperar como camuflagens da repressão sexual todas as manifestações da inteligência humana, seja na arte, na ciência, na filosofia ou na religião. E acabou *malgré lui* colocando a serviço da propaganda socialista o poder da fantasia sexual, tão logo a escola de Frankfurt acreditou descobrir no desejo reprimido o equivalente genésico da força de trabalho proletária "expoliada" pelo super-ego capitalista. Daí por diante todos os frustrados sexuais do mundo tornaram-se militantes esquerdistas em potencial.

Muitas outras modas e escolas intelectuais, às vezes bem antimarxistas, concorreram para os fins do socialismo: roendo pelas beiradas a credibilidade popular da tradição filosófica e religiosa ocidental, mas não tendo por sua vez nenhuma expressão política própria, acabaram sendo absorvidas como utensílios de guerra ideológica pela única corrente de pensamento que, além de doutrina, era uma estratégia política e uma militância organizada. Assim, à medida que se desmoralizava intelectualmente, o marxismo se renovava de maneira quase inesgotável, chamando em seu socorro novos e novos pretextos adaptados do pragmatismo, da filosofia analítica ou até do messianismo lisérgico e anárquico da *New Age*. Aquisição mais recente foi a retórica anti-ocidental do radicalismo islâmico. E agora até o "tradicionalismo" de Guénon e Evola pode servir para ajudá-lo um pouquinho...

Nenhuma doutrina resiste a tantas incorporações sem perder sua identidade. Mas às vezes isso é útil. À medida que afeiçoava seu organismo a tantos alimentos estranhos, o marxismo, já em versão Gramsci, flexibilizava sua estrutura organizacional, dissolvendo os antigos partidos monolíticos numa complexa rede de associações e canais com rotulagem infinitamente variada – desde agremiações políticas até entidades assistenciais, "grupos de encontro" e clínicas de aborto, além de quadrilhas de narcotraficantes e seqüestradores –, que o advento dos computadores e da internet permite hoje manter unida e pronta, a qualquer momento, para ações repentinas de alcance mundial, como se viu nas passeatas "pela paz" que quase conseguiram salvar, in extremis, o regime mais tirânico e genocida do planeta.

Irreconhecível como doutrina individualizada, o marxismo continua, politicamente, a única força organizada em escala planetária. Na esfera cultural, tornou-se a influência dominante que, sem nome, quase invisivelmente, move as correntes de opinião no mundo.

Cada vez que, diante de uma idéia, você pergunta a quem ela serve antes de perguntar se ela é verdadeira ou falsa, você é quem está servindo a esse senhor invisível. A doutrina marxista da ideologia, mentira a serviço da vontade de poder, vê em tudo mentiras a serviço do poder e, como toda profecia auto-realizável, tem o dom de fazer com que aqueles que a seguem, mesmo sem saber que a seguem, se tornem exatamente aquilo que ela diz que são.

A CLAREZA DO PROCESSO[64]

Como as divergências do PT com o PT se tornaram o molde único do debate político nacional, peço aos leitores que reexaminem meu artigo "Transição revolucionária", publicado neste jornal em 25 de agosto de 2002.[65] Nele eu descrevia o mecanismo básico da política brasileira nas últimas décadas: a transferência do eixo cada vez mais para a esquerda, de modo que o esquerdismo acabe por ocupar todo o espaço, ao mesmo tempo que impinge ao público a falsa impressão de que o cenário continua dividido, normal e democraticamente, entre uma esquerda e uma direita.

Não cito meu próprio artigo para me fazer de profeta. Cito-o para mostrar que a linha de evolução das coisas é clara demais, que para enxergá-la não é preciso ser nenhum profeta, e que o fato mesmo de que tão poucos a enxerguem é um componente fundamental do processo. Pois este se realiza por meio do entorpecimento das consciências, culminando na cegueira geral: a direita incapaz de perceber sua impotência, a esquerda negando sua onipotência manifesta e fazendo-se de vítima de adversários inexistentes para prevenir o nascimento de adversários futuros.

Desde 1988 cada novo governo está um pouco mais à esquerda, fechando o SNI, engordando o MST, premiando terroristas com verbas oficiais, endossando uma a uma todas as exigências "politicamente corretas", difundindo propaganda marxista pelas escolas, etc. etc. Em vez de alegrar-se com isso, os esquerdistas ficam cada vez mais irritados e seu discurso mais violento. A escalada da brutalidade verbal, com o sr. Caio César Benjamin mandando o presidente "se f...r", mostra que o esquerdismo se torna tanto mais prepotente quanto mais vitorioso, que nada pode safisfazê-lo senão a obediência total e incondicional, que cada concessão, em vez de aplacá-lo, só excita ainda mais sua fome de poder absoluto.

---

64 Publicado em *Zero Hora*, em 15 de junho de 2003.
65 Cf. a página 163 deste livro.

Inspirada pela fórmula leninista da "estratrégia das tesouras", a esquerda cresce por cissiparidade, ou esquizogênese, dividindo-se contra si mesma para tomar o lugar de quaisquer concorrentes possíveis, que hoje se reduzem a quase nada.

Quem domina o centro, domina o conjunto. A esquerda inventa sua própria direita, criminalizando e excluindo do jogo todas as demais direitas imagináveis. Uns anos atrás, tornou-se feio estar à direita de FHC. Agora é impensável estar à direita de Lula. A política nacional inteira já não é senão um subproduto da estratégia esquerdista, realizando a fórmula de Gramsci, de que o Partido deve imperar sobre toda a sociedade, não com uma autoridade externa que a oprima ostensivamente, mas com a força invisível e onipresente de uma fatalidade natural, de "um imperativo categórico, um mandamento divino" (*sic*).

Por isso estão loucos e iludidos aqueles que, vendo o esquerdismo dividido, celebram seu enfraquecimento e sua próxima derrota. Um partido só pode ser derrotado por outro partido, jamais pela sua própria confusão interna, que é fermento de sua expansão ilimitada. E o fato é que nenhum outro partido existe. Há quarenta anos só a esquerda tem uma estratégia global, objetivos de longo prazo e uma firme determinação de remoldar a sociedade à sua imagem e semelhança. As outras facções não têm senão idéias soltas e objetivos parciais temporários, que são facilmente absorvidos ou neutralizados pela onda triunfante e irreversível do neocomunismo petista.

ENGORDANDO O PORCO[66]

Consciente de que as nossas classes empresariais são incapazes de enxergar o mundo exceto sob a ótica de um sonso economicismo, a liderança esquerdista tem conseguido fazer delas instrumentos prestativos para a implantação de uma ditadura comunista neste país.

---
66 Publicado em *Zero Hora*, 30 de novembro de 2003.

Os mais tolos e servis são justamente os empresários inflados de pretensões intelectuais, que leram uns verbetes do *Dicionário de Política* de Norberto Bobbio e já saem afagando seus próprios ouvidos com a recitação pomposa dos termos recém-aprendidos – ética, sociedade civil, controle externo, democracia participativa, etc. –, cujo alcance estratégico nem de longe percebem, pois para isso precisariam ter estudado muito Antonio Gramsci depois de adquirir a sólida base marxista-leninista necessária para saber do que ele está falando.

Ouvem dizer, por exemplo, que para acabar com a corrupção o único remédio é o "controle externo" da polícia e do judiciário pela "sociedade civil organizada". Iludidos pelo valor nominal das expressões, sem saber que são termos técnicos do vocabulário gramsciano no qual têm uma carga semântica muito precisa, diferente do que as palavras sugerem na acepção geral, chegam quase às lágrimas ante a imagem rósea que nelas se parece anunciar, e prestam-se por isso a colaborar na empreitada revolucionária como se estivessem lutando por seus mais viscerais interesses. Um grupo deles, totalizando a quarta parte do PNB, já pôs tudo a serviço da realização de tão sublimes ideais.

Quem tenha estudado Gramsci, no entanto, sabe que "sociedade civil organizada" quer dizer apenas o Partido, gigantescamente ampliado até perder sua identidade aparente, espalhado por meio de seus agentes até os setores mais periféricos da vida social, e transformado portanto – nos termos do próprio Gramsci – "num poder invisível e onipresente", habilitado a dominar a sociedade com a força ao mesmo tempo avassaladora e imperceptível "de um imperativo categórico, de um mandamento divino" (*sic*). É a completa ditadura do Partido, não imposta de cima para baixo por um decreto autoritário explícito que arriscaria suscitar resistências, mas injetada aos poucos nas veias da sociedade, como uma droga alucinógena que a própria vítima acabará por exigir em doses cada vez maiores. Quem quer que, à luz dos ensinamentos gramscianos, observe a prática petista no dia a dia, verá que ela se orienta pelo sentido originário que esses termos têm em Gramsci, e não pela segunda camada de significados postiços, criada para fins de auto-intoxicação de idiotas úteis. Que estes, pelo caminho, recebam o estímulo ocasional e passageiro de algumas vantagens menores, é coisa que nada tem de estranho: ninguém mata o porco antes de engordá-lo.

E a proposta que acolhem não quer o "controle externo" só da polícia e do judiciário, mas do legislativo, dos ministérios, das empresas, das entidades religiosas e educacionais, dos órgãos assistenciais e da mídia. Nunca palavras tão doces e atraentes foram usadas para encobrir uma realidade tão brutal e hedionda. Nunca uma tirania comunista foi oferecida com embalagem tão vistosa, com aparência tão inofensiva. E o empresariado, com típica auto-ilusão *nouveau riche*, compra tudo. Compra e paga.

COZINHANDO A RÃ[67]

A mídia nacional já adotou o costume de designar o PT governante como "direita", para que D. Heloísa Helena e o sr. João Pedro Stedile posem como representantes da única "esquerda" autêntica. É um truque sujo e seu efeito é óbvio: a parcela do público que teme mudanças bruscas corre para dar apoio ao governo, na esperança de que contenha os "radicais", enquanto a insatisfação do restante com os erros do governo é canalizada em favor da "esquerda da esquerda", sem risco de que venha a ser capitalizada pela oposição liberal ou conservadora.

Todo movimento revolucionário tem dentro de si uma direita e uma esquerda. Esta forceja por ampliar a área de atuação do movimento e radicalizar as transformações revolucionárias a todo preço, pouco se importando de perder o controle da situação ou, melhor ainda, imaginando que o melhor controle é a perfeita confusão. A "direita", por seu lado, tenta consolidar as

---

[67] Publicado em *Zero Hora*, 11 de janeiro de 2004.

vitórias obtidas e manter um estrito controle estratégico e tático do movimento, mesmo à custa de desacelerar o processo e ter de cortar na própria carne, livrando-se da indisciplina "esquerdista" por meio de expurgos e de punições variadas.

Isso foi assim em todas as revoluções comunistas. O detalhe diferencial é que na revolução brasileira está sendo tentada pela primeira vez em grande escala uma transição "indolor" baseada na estratégia de Antonio Gramsci. Isto faz com que, aos olhos dos ignorantes, a revolução não pareça uma revolução e as mudanças mais desastrosas sejam aceitas, insensivelmente, como detalhes de rotina. Não que o gramscismo seja pacifista. Apenas, ele não admite violência antes do momento certo, isto é, quando a opinião pública estiver madura para aprovar ao menos por indiferença a eliminação cruenta dos poucos adversários restantes. O gramscismo é como a aranha, que anestesia a vítima antes de matá-la.

No processo anestésico, Gramsci enfatiza o controle da mídia e, portanto, do vocabulário. É essencial que a população se acostume a usar as palavras no sentido desejado pelo Partido, para que, a cada momento, pense o que o Partido deseja que pense. Isso nada tem a ver com persuasão explícita: não visa a fazer com que o povo "concorde" com as instruções partidárias, mas busca induzi-lo a comportar-se da maneira desejada, mesmo quando imagina opor-se à autoridade estabelecida.

No presente momento, quando a ascensão do Partido é ainda recente, é importante garantir que ninguém, na sociedade, possa dar um alarma geral e abortar o processo. Firmeza e discrição são essenciais.

É a hora do lobo, o lusco-fusco antes da aurora, quando o predador espreita as redondezas, ainda sem saber se o que vai encontrar pela frente é a presa ou o caçador.

Nesse momento, tudo na conduta do Partido é camuflagem e fingimento. Tudo o que é deve parecer outra coisa, nada pode ser chamado pelo nome, todo raciocínio conclusivo deve ser neutralizado por uma tempestade de desconversas, todo diagnóstico real da situação deve ser contornado por meio de um intenso confusionismo verbal. A própria identidade dos personagens deve ser esfumada, para que ninguém possa distinguir o predador e a presa. Trabalhar para que a "direita" e a "esquerda" do movimento revolucionário sejam tomadas pelo público como a direita e a esquerda convencionais, de modo que esta última ocupe todo o espaço político existente e uma transição revolucionária passe como rotina normal da democracia, é o modo de fazer com que a rã, que saltaria fora da panela se jogada na água fervente, vá se adaptando à água aquecida devagar, até morrer sem perceber que foi cozida.

A RECEITA DOS MESTRES[68]

Karl Marx ensinava que, mesmo investida daquele poder absoluto que só a violência armada garante, a esquerda revolucionária jamais deveria se apressar em estatizar a propriedade dos meios de produção da noite para o dia, arriscando provocar a fuga de capitais e desmantelar a economia. O certo, dizia ele, era alongar o processo por uma ou duas gerações, usando de preferência o expediente anestésico da taxação progressiva. Ainda mais prudente e sorrateira ela deveria ser, é claro, na hipótese de ter vencido pela via das eleições, que só garantem um acesso limitado ao poder.

Lênin acrescentava que a própria classe capitalista, atraída pela isca dos lucros imediatos oferecidos pelo Estado socialista e cega para as correntes mais profundas da transformação revolucionária, haveria de colaborar alegremente com a lenta e inexorável expropriação de seus bens.

Antonio Gramsci completava o silogismo, concluindo que o Partido não deveria arriscar nenhuma mudança mais drástica na

---

68 Publicado em *O Globo*, em 31 de janeiro de 2004.

estrutura social antes de ter-se assegurado de três condições: (1) a completa hegemonia sobre a cultura, o vocabulário público e os critérios morais vigentes; (2) o estabelecimento de um unipartidarismo informal através da supressão de toda oposição ideológica, reduzidos os demais partidos, quase que voluntariamente, à tarefa subalterna de criticar detalhes da administração; (3) a fusão de Partido e Estado através da "ocupação de espaços".

Por seguir fielmente a receita desses mestres, o PT governante adquiriu direitos e privilégios jamais sonhados por nenhum partido comunista do mundo, como por exemplo: (1) o de jamais poder ser chamado de comunista, mesmo quando efetua à plena luz do dia a inserção do Brasil na estratégia comunista internacional; (2) o de autofinanciar-se com dinheiro público em doses crescentes e ilimitadas, através do embuste do "dízimo" que, utilizado por qualquer outro partido, provocaria uma tempestade de denúncias e processos; (3) o de agir em estreita parceria estratégica com organizações terroristas e narcotraficantes, como o ELN colombiano, as FARC, o MRI chileno e os tupamaros, sem jamais poder ser acusado de cumplicidade com o terrorismo ou o narcotráfico; (4) o de criar desde dentro de suas próprias fileiras uma oposição histriônica, que o acusa de "direitista" sem que o público maior atine com a acepção muito especial, quase a de uma senha, que este termo tem nas discussões internas da esquerda e, assim, camuflando ainda mais o curso real do processo político.

Nunca, em cinco séculos, a mentira e a dissimulação dominaram tão completamente o panorama dos debates públicos neste país, outorgando aos condutores do processo aquela "onipotência invisível" a que se referia Gramsci e condenando todos os demais brasileiros à menoridade mental e política.

Um dos instrumentos mais engenhosos utilizados para isso foi a duplicação das vias de ação partidária, uma nacional e ostensiva, denominada oficialmente "PT" ou "governo", a outra internacional e discretíssima chamada "Foro de São Paulo", o mais importante e poderoso órgão político latino-americano, cuja mera existência a classe jornalística em peso continua ocultando criminosamente – repito: criminosamente – ao conhecimento de seus leitores. No âmbito circunspecto do Foro, o PT articula suas ações com as de outros movimentos de esquerda continentais. Entre eles, evidentemente, o MST. No plano nacional, isto é, diante dos olhos da opinião pública, PT e MST aparecem como entidades separadas e inconexas. O partido onipotente está, portanto, habilitado a promover a agitação no campo através do seu braço invisível, ao mesmo tempo que, com o visível, encena gestos de apaziguador dos ânimos e mantenedor da ordem.

Dentro do PT há decerto muitas pessoas que têm consciência de tudo isso, e é impossível que pelo menos algumas delas não se envergonhem, em segredo, de colaborar com tanta perfídia e ignomínia. Mas quando ousarão renegar em público a macabra herança comunista que faz de seu partido um aliado e cúmplice de Hugo Chávez, de Fidel Castro e de Kim Il Jong?

A UNIDADE DA DUPLICIDADE[69]

Como é possível que um partido repleto de ex-terroristas, associado no Foro de São Paulo aos narcotraficantes das FARC e aos seqüestradores do MIR chileno, acusado de superfaturamento em obras e na coleta de lixo em várias das capitais que governa, suspeito de cumplicidade no assassinato de um prefeito, alimentado pelos dízimos obrigatórios dos cargos públicos que ele mesmo distribui e, *last not least*, inventor de uma "campanha contra a fome" que já tem 45 por cento de licitações irregulares, consiga fazer com que a denúncia de uma negociata com bicheiros apareça como uma mancha esporádica na sua reputação ilibada, como um ato isolado de "traição" a

---

69 Publicado em *O Globo*, 21 de fevereiro de 2004.

seus "altos padrões éticos", e não como a continuação normal e previsível de uma longa carreira de delitos e mentiras?

"Hegemonia" é isso: acuada pela exibição de provas contundentes, a facção dominante ainda tem força para transmutar a perda política em vitória ideológica, fazendo com que a crença geral na bondade intrínseca da esquerda saia imune e engrandecida da revelação de qualquer sujeira. Em matéria de gerenciamento de danos, é um prodígio.

É que os dois fenômenos – o envolvimento em crimes de magnitude incomum e o controle sobre os critérios morais da opinião pública – estão profundamente interligados. É impossível elucidar o caso Waldomiro sem colocar em exame a estrutura interna do PT, que herdou das organizações revolucionárias que a originaram a técnica de articular legalidade e clandestinidade, miolo e fachada, realidade e aparência.

O partido que mama o leite dos bicheiros é, afinal, o mesmo que, com os bons préstimos de uma rede de informantes espalhados em todos os escalões da administração pública e privada e o apoio de variadas organizações co-irmãs, adquiriu há tempos um verdadeiro poder de polícia, investido dos meios de subjugar e destruir os adversários que bem entenda e, no mesmo ato, pelo próprio terror que inspira a sua retórica moralizante, bloquear qualquer investigação séria dos crimes em que se envolva. E o sr. José Dirceu que apadrinhou Waldomiro é o mesmo que, na CPI dos "anões do orçamento", brilhava com revelações espetaculares, citando até mesmo os números das cédulas recebidas como propina por fulano ou beltrano – informação só acessível a quem tivesse olheiros escondidos por toda parte.

Essas duas faces não se excluem, mas se exigem mutuamente. O juiz temível e o gatuno sorrateiro são o mesmo personagem. Já ensinava Lênin: "Fomentar a corrupção e denunciá-la". Não há um PT bom e um PT mau: o que há é estratégia, organização, informação, planejamento, convergência de todos os meios lícitos e ilícitos para o objetivo final: a conquista do poder, a fusão de Partido e Estado, o domínio sobre a "sociedade civil organizada" ("o Partido ampliado", como a chamava Gramsci), a demolição total das instituições e sua substituição por um "novo modelo de democracia" que já era velho no tempo em que Fidel Castro usava fraldas.

As habilidades requeridas para conduzir uma operação tão complexa estão fora do alcance dos políticos "normais", cuja ciência não vai além das espertezas eleitoreiras, mercadológicas e parlamentares necessárias para o exercício corriqueiro da política provinciana.

Quase todos os líderes do PT têm uma longa prática da ação clandestina, e, não por coincidência, precisamente aquele a quem o episódio recente deu a mais triste notoriedade é um agente treinado pelo serviço cubano de inteligência militar, o mais poderoso e eficaz do continente. Suas aptidões nesse campo incluem a organização de redes subterrâneas de espionagem e propaganda, infiltração, terrorismo, bem como todas as artes da desinformação e camuflagem das quais a média da classe política nacional só tem uma idéia longínqua e fantasiosa, adquirida, na mais erudita das hipóteses, em filmes de James Bond.

Entre o PT e seus acusadores, a única luta possível é a da astúcia organizada contra uma pululação anárquica de indignações cegas. Sem a consciência do que está verdadeiramente em jogo, essas indignações correm o risco de se esfarelar numa poeira de protestos vãos.

O NOME DA COISA[70]

O senador Jefferson Perez tem toda a razão ao afirmar que "pela primeira vez no Brasil um partido domina o poder e a sociedade civil organizada". Onde ele erra é no termo geral com que sintetiza o estado de coisas. "Mexicanização" não é sequer

---

70   Pubicado em O Globo, 28 de fevereiro de 2004.

um conceito descritivo, é uma figura de linguagem, que alude a um fenômeno pela vaga semelhança com outro.

Mas o que se passa aqui não é tão misterioso que nem tenha um nome apropriado. O sr. Perez chega perto dele ao usar a expressão "sociedade civil organizada", mas logo perde a pista ao derivar para uma analogia imprópria. "Sociedade civil organizada" é o termo técnico com que Antonio Gramsci designa a rede de entidades extrapartidárias controladas pelo Partido. Dizer que o Partido as controla é portanto redundante: elas constituem, segundo Gramsci, "o Partido ampliado". Quando esse rede abrange os principais canais de expressão da sociedade, não há mais opinião pública: há apenas a voz do Partido, ecoada em muitos tons e oitavas que simulam variedade espontânea. É a materialização da "hegemonia cultural" que monopoliza as idéias em circulação e forja até o vocabulário dos debates públicos, adquirindo sobre a mentalidade geral "o poder onipresente e invisível de uma lei natural, de um imperativo categórico, de um mandamento divino" (sic).

O fato mesmo de aquela expressão ser usada por muitos como termo neutro, sem a menor consciência de sua origem e de suas implicações estratégicas, basta para mostrar o alcance da "hegemonia".

A organização da sociedade civil, diz Gramsci, deve preceder de muito a conquista do Estado. Nos tempos da ditadura, quando os generais imaginavam dominar tudo porque tinham a guerrilha sob seus pés, a elite do Partidão, bem tolerada pelo governo porque alheia à violência armada, tratava de estudar a estratégia gramsciana e colocá-la em prática diante dos olhos cegos da autoridade. O Brasil de hoje nasceu aí. O próprio sr. Perez admite que naquela época a esquerda já adquiriu o controle da sociedade civil.

Mas ele erra também quando limita as possibilidades de explicação do fenômeno a uma alternativa paralisante: "conspiração" ou "coincidência"? O que há não é uma coisa nem a outra. É "grande estratégia". A adesão do PCB ao gramscismo obedeceu à nova "linha geral" adotada pelo *Politburô* soviético entre 1958 e 1960,[71] que, inspirada no exemplo da NEP leninista de 1921, recomendou a todos os partidos comunistas o fim do monolitismo stalinista, concessões aos interesses capitalistas privados, o eventual abandono da identidade comunista explícita e a fragmentação num pluripartidarismo aparente, a penetração ampla na sociedade civil para absorver todas as correntes de opinião aproveitáveis, de modo a marginalizar o anticomunismo e seduzir até os conservadores para as belezas do "socialismo com face humana" encarnado na perestroika.

No plano internacional, essa política, calculada para durar quatro décadas, visava a formar uma Europa socialdemocrática "unida do Atlântico aos Urais", isolando os EUA e induzindo-os a desarmar-se ideologicamente (e militarmente) em nome da "convergência" anunciada de capitalismo e socialismo numa "nova ordem global" apadrinhada pela ONU. Anestesiado o sentimento anticomunista, os EUA festejaram o "fim da Guerra Fria", sem perceber que com isso apenas cediam ao inimigo o direito de prossegui-la unilateralmente em condições ideais, nas quais toda resistência já estava de antemão condenada como saudosismo, desamor à "paz" e, é claro, paranóia.

Com alguns percalços vistosos que não abalaram em nada o seu centro orientador, a estratégia alcançou o objetivo desejado, como se vê hoje pela hostilidade global anti-EUA e anti-Israel. No tempo de Stalin, isso seria sonhar demais. Hoje é uma realidade.

Perto disso, a Revolução Mexicana foi apenas um fuzuê de caipiras. O que se passa no Brasil é a Revolução Gramsciana, manifestação local da grande estratégia comunista mundial. É preciso estar muito, muito alienado para não enxergar uma coisa tão patente.

---

71 Cf. Anatoliy Golitsyn, *The Perestroika Deception*, London, Edward Harle, 1995.

A GESTAPO TERCEIRIZADA[72]

Alfredo Sáenz, S. J., em *La estrategia ateísta de Antonio Gramsci* (Córdoba, 1988), observava que a via gramsciana para o socialismo, evitando a prática leninista de liquidar fisicamente os inimigos, dava preferência – embora não exclusiva – ao assassinato moral. Isso refletia a nova estrutura do Partido revolucionário, que de elite golpista armada ia se transmutando numa rede difusa e onipresente, sem rosto nem limites, imperando invisivelmente sobre a psicologia das massas e moldando até a mente dos seus adversários. Estes ficariam assim tão isolados, tão desarmados ideologicamente, que mal conseguiriam se defender sem acusar-se no mesmo ato, por falta de linguagem própria. Os poucos que se salvassem do naufrágio mental seriam neutralizados por meio do boicote profissional e do massacre difamatório – instrumentos manejados, é claro, de maneira impessoal e camuflada. Os líderes do Partido, bem como o próprio governo esquerdista, não se exporiam na primeira linha de ataque: ficariam escondidos por trás da multidão de jovens militantes anônimos, para dar a impressão de que a vítima não tombara sob os golpes de uma corrente partidária e sim da opinião pública, do progresso ou da natureza das coisas. A idéia era usar a própria sociedade civil, em vez do Estado, como instrumento de repressão.

A perseguição policial sem polícia, a Gestapo terceirizada, já está funcionando com pleno sucesso no Brasil. Os adversários mais sonsos – a maioria – já não ousam criticar o governo senão em nome de pretextos esquerdistas que os arrastam com ele na mesma condenação; a minoria intelectualmente ativa está acossada pela perda de emprego, pelas agressões psicológicas, pelas ameaças veladas ou explícitas, pelo assédio judiciário, pela difamação incessante e cruel.

Exemplos?

---

72 Publicado em *Jornal do Brasil*, em 13 de julho de 2006.

O jornalista Reinaldo Azevedo perdeu o emprego porque os anunciantes tinham medo de aparecer nas páginas de Primeira Leitura. Depois a casa de sua mãe foi invadida e depredada.

O âncora Boris Casoy foi demitido da TV Record pela força discreta das pressões políticas.

O cronista Diogo Mainardi geme esmagado sob toneladas de processos pelo crime de denunciar a corrupção federal.

O Padre José Carlos Lodi da Cruz, acossado por ONGs internacionais, foi condenado por um grotesco tribunal de Brasília a pagar multa por chamar uma abortista de abortista.

O escritor Júlio Severo sofre toda sorte de humilhações judiciais e administrativas por ter escrito um livro contra a ideologia homossexual e querer educar seu filho na religião cristã.

O professor Francisco Pessanha Neves, do Colégio de Aplicação da UFRJ, foi surrado por seus alunos por insistir em lhes ensinar filosofia grega em vez de marxismo.

Quanto a mim, todo mundo sabe: os insultos escatológicos e ameaças de morte já viraram rotinas banais, a intromissão difamatória na privacidade da minha família tornou-se direito consuetudinário, exercido por batalhões de imbecis juvenis instigados por professores que não ousariam me confrontar num debate. E tanto se empenharam na minha destruição que acabaram se traindo, publicando com sinistro humorismo goebbelsiano uma caricatura na qual apareço crucificado – uma eloqüente declaração de intenções, só frustradas *in extremis* pela minha oportuna saída do país.

O que Gramsci não explicou é que tipo de sociedade poderia nascer de uma geração em que os jovens se imaginam heróis da liberdade quando se juntam em bandos de centenas, de milhares, para servir de polícia política e desgraçar a existência de uns poucos inimigos isolados e sem recursos. É uma sociedade de vigaristas covardes e psicóticos. É o Brasil de hoje.

Mas nada disso é exclusividade nacional. O oposicionista venezuelano Alek Boyd, editor do site www.vcrisis.com, auto-exilado na Inglaterra, sem dinheiro para pagar um advogado, sofre bombardeio difamatório do lobby chavista apadrinhado pelo próprio prefeito de Londres. Por toda parte, o combate brutalmente desigual é a arma predileta dos apóstolos da igualdade.

POR QUE O BRASILEIRO VOTA NA ESQUERDA[73]

Se no Brasil ocorre esse fenômeno aberrante de um eleitorado conservador votar maciçamente em candidatos de esquerda, o motivo da contradição aparente é claríssimo e se compõe da confluência de três fatores.

Desde logo, o conservadorismo não tem canais partidários ou culturais de expressão e se tornou politicamente nulo. Não há políticos conservadores: ninguém pode votar em candidatos inexistentes.

De outro lado, o esquerdismo usa uma linguagem nas suas discussões internas, outra para falar com o povo, e só na primeira delas assume sua verdadeira identidade ideológica. Na outra ele dilui sua imagem em generalidades moralistas, nacionalistas e populistas. É um discurso maliciosamente escorregadio, que evita o jargão marxista e impede o povo de identificar a esquerda brasileira com a revolução neocomunista continental. Até observadores estrangeiros qualificados, mas que desconhecem os documentos internos do PT e do Foro de São Paulo, como por exemplo Álvaro Vargas Llosa, Otto Reich e o próprio subsecretário Tom Shannon, se deixaram enganar por essa falsa aparência, imaginando o esquerdismo brasileiro como populista em vez de comunista. A população local, é claro, cai no engodo ainda mais facilmente. Mesmo entre pessoas letradas é comum a reação: "Lula, comunista? Você está doido". O próprio Lula pôde dizer, sem que ninguém o contestasse, que não apenas nunca foi

---

[73] Publicado em *Zero Hora*, ao 1º de setembro de 2006.

comunista como não é nem mesmo esquerdista. Essa declaração seria considerada cínica, inaceitável e até criminosa se a platéia não ignorasse que o declarante foi fundador e presidente da maior organização pró-comunista do continente.

Em terceiro lugar, o sucesso de quarenta anos de "revolução cultural" gramsciana foi tão avassalador – dada a completa falta de resistência –, que os valores, critérios e até cacoetes mentais do movimento comunista internacional se incorporaram no "senso comum" brasileiro e já não são reconhecidos como tais: são aceitos passivamente pela sociedade, sem consciência de suas implicações ideológicas.

Somem esses três fatores e compreenderão por que um povo conservador vota em candidatos comunistas: ele não sabe que são comunistas, não sabe o que há um movimento comunista ativíssimo no continente não tem a menor idéia das conseqüências do seu voto. As eleições brasileiras são uma farsa no sentido mais exato e integral do termo.

Não havendo partidos ou políticos de direita no Brasil, toda a confrontação direita-esquerda que se vê atualmente é uma obra de engenharia social criada pela própria esquerda com três objetivos: (1) ocultar sua hegemonia e seu poder monopolístico sob uma aparência de disputa democrática normal; (2) neutralizar quaisquer tendências direitistas, canalizando-as para uma direita pré-fabricada, a "direita da esquerda", o que se observou muito claramente nas duas campanhas eleitorais de Fernando Henrique Cardoso, um marxista gramsciano que foi alegremente aceito como depositário (infiel, é óbvio) da confiança do eleitorado direitista; (3) dominar todo o espaço político por meio do jogo de duas correntes partidárias fiéis ao mesmo esquema ideológico, só separadas pela disputa de cargos, como aliás o reconheceram explicitamente o próprio Fernando Henrique e o prof. Christovam Buarque, então um dos mentores do PT. Essas três linhas de ação definem exatamente o que Lênin chamava "estratégia das tesouras", termo inspirado na idéia de cortar com duas lâminas.

O PFL poderia ser um partido de direita, mas, como só quer cargos e não tem nenhuma perspectiva de poder, consentiu em tornar-se uma filial do PSDB. O PMDB é esquerdista desde a origem e está repleto de comunistas. O PSDB, a "direita da esquerda", é a boca de funil para onde converge o que possa restar de direitismo hipotético nesses outros partidos. Tal como o PT, esse partido nasceu na USP, e sua única função no conjunto da estratégia comunista uspiana é impedir que os descontentes com o PT acabem se aglutinando numa direita genuína.

DA FANTASIA DEPRIMENTE
À REALIDADE TEMÍVEL[74]

A sentença de Hugo von Hofmannsthal já citada nesta coluna – "Nada está na realidade política de um país se não estiver primeiro na sua literatura" – é tão verdadeira e profunda, que pode ser aplicada à análise das situações políticas desde vários ângulos diferentes, sempre rendendo algum conhecimento.

Vejam, por exemplo, o que aconteceu na Rússia entre a metade do século XIX e a queda da URSS. Por volta de 1860-70 a cultura russa, até então raquítica em comparação com as da Europa ocidental, começava a tomar impulso para lançar-se a grandes realizações. A inspiração que a movia era sobretudo a confiança mística no destino da nação como portadora de uma importante mensagem espiritual a um Velho Mundo debilitado pelo materialismo cientificista. Preservada da corrosão revolucionária por um regime político fortemente teocrático em que as crenças oficiais da côrte e a religiosidade popular se confirmavam e se reforçavam mutuamente, a Rússia contrastava de maneira dramática com as nações ocidentais onde a elite e as massas viviam num divórcio ideológico permanente e que por isso só se modernizavam

---

74 Publicado em *Diário do Comércio*, em 11 de setembro de 2006.

à custa de reprimir e marginalizar os sentimentos religiosos da população. O regime tzarista, não obstante o peso da sua burocracia emperrada, havia conseguido encontrar o caminho para reformas que não iam contra os ensinamentos da igreja ortodoxa, mas, bem ao contrário, nasciam deles. O futuro da Rússia parecia emergir diretamente do messianismo cristão das duas figuras máximas da intelectualidade russa, o romancista F. M. Dostoiévski e o filósofo Vladimir Soloviev.

Em comparação com a grande cultura nacional do período, a contribuição do movimento comunista russo consistiu sumariamente em rebaixar tudo ao nível de um automatismo dialético miserável, quando não da pura literatura de propaganda. A redução da cultura superior a instrumento de formação da militância neutralizou os efeitos benéficos das reformas universitárias empreendidas pelo governo e transformou grande parte da juventude letrada russa naquela multidão de tagarelas alucinados que povoam os romances de Dostoiévski, especialmente *Crime e castigo* e *Os demônios*. Experimentem ler qualquer página de Vladimir Soloviev ou do próprio Dostoiévski, depois comparem com as platitudes revolucionárias de George Plekhanov – tido na ocasião como o mais capacitado intelectual comunista russo – ou com as filosofices grotescas de V. I. Lênin em *Materialismo e Empiriocriticismo*, e saberão do que estou falando. Os comunistas começaram por destruir a inteligência superior de uma grande nação antes de criar o regime político mais estúpido e animalesco de que se tivera notícia na História. Quem, na época, quisesse prever o futuro da economia russa sob os comunistas poderia fazê-lo facilmente por meio da simples avaliação da literatura que eles produziam. Mesmo o mais talentoso ficcionista nas hostes revolucionárias, Maxim Gorki, estava formidavelmente abaixo da geração anterior. Hoje em dia já não se pode lê-lo senão como documento histórico. Nem é preciso dizer que o mesmo se aplica à literatura produzida sob os governos de Lênin, Stálin, Kruschev e *tutti quanti*. Até os melhores romances do período – os de Sholokhov – se tornaram ilegíveis por excesso de babaquice revolucionária. Nem falo dos filósofos e ensaístas, uma multidão subsidiada que o tempo de encarregou de jogar na lata de lixo. O pensamento russo só sobreviveu no exterior, integrado na cultura européia ou americana, com Berdiaev, Chestov, Sorokin. A imaginação literária só veio a se recuperar a partir anos 50, mas no subterrâneo, longe da cultura oficial, com Soljenítsin, Bukovski, Zinoviev. E não é preciso dizer que a inspiração para isso veio principalmente do antigo messianismo de Dostoiévski e Soloviev.

O que sucedeu na cultura literária e filosófica reproduziu-se, com exatidão milimétrica, na economia. Aqueles que se acostumaram a imaginar o tzarismo sob o aspecto estereotipado da "repressão", do "atraso" e da "decadência" ignoram solenemente os fatos principais do período: a progressiva abertura da burocracia para elementos vindos de fora da camada aristocrática (inclusive judeus) e a industrialização acelerada. Nos cinqüenta anos que antecederam a revolução comunista, a economia russa foi a que mais cresceu na Europa, deixando longe a Inglaterra e a Alemanha que então pareciam ser as encarnações mesmas do progresso e das luzes, e só encontrando rival do outro lado do oceano, nos Estados Unidos da América. Se o regime tzarista não tivesse sido destruído pela I Guerra Mundial e pela subseqüente ascensão dos comunistas, o simples crescimento vegetativo da economia teria acabado por dar aos russos, por volta de 1940, um padrão de vida comparável ao dos americanos. Em contraste com isso, na União Soviética dos anos 80 o cidadão médio consumia menos carne do que um súdito pobre do tzar um século antes e tinha menos acesso a automóveis, assistência médica e serviços públicos em geral do que os negros sul-africanos vivendo sob o regime humilhante do apartheid. Nada está na realidade política de um país que não esteja primeiro na sua literatura.

O exemplo russo é só um entre muitos. O utopismo abstrato da Revolução Francesa, que num choque de realidade acabou levando a resultados tão paradoxais quanto o terror, a ditadura napoleônica e a restauração monárquica, foi antecedido de pelo menos meio século de linguagem abstratista, forçada, artificial e artificiosa, que sufocava a experiência direta sob toneladas de construções idealísticas sem pé nem cabeça. O processo foi descrito e analisado com muita acuidade por Hyppolite Taine em *Les Origines de la France Contemporaine* (6 vol., 1888-1894), uma das obras históricas mais notáveis de todos os tempos. Na Alemanha e na Áustria, a longa degradação da linguagem pública, contra a qual em vão reagiram Karl Kraus e Stefan George, é hoje reconhecida como um dos fatores que tornaram possível a ascensão do irracionalismo nazista. De modo geral, a explosão de cacofonias na literatura modernista anunciou e preparou o caminho para a invasão dos totalitarismos: já não há como negar isso depois desse tour de force historiográfico que é *Rites of Spring: The Great War and the Birth of the Modern Age*, de Modris Eksteins (Boston, Houghton Mifflin, 1989). Não, Hofmannsthal não deu um palpite a esmo: se nada está na política que não esteja antes na literatura, é pela simples razão de que a imaginação vem antes da ação. Se há uma "lei histórica" que funcione, é essa. Digo-o entre aspas porque não é uma lei histórica, é um dado estrutural da ação humana que nenhuma mutação histórica pode alterar.

Se o leitor compreendeu isso, com muita facilidade perceberá a loucura suicida que foi confiar os destinos do Brasil a uma corrente político-ideológica que, dos anos 70 até hoje, se empenhou sistematicamente em destruir a cultura superior do país e de modo especial a sua literatura, mediante a submissão de tudo às exigências estratégicas e táticas da "revolução cultural" de Antonio Gramsci.

O entorpecente gramsciano penetrou no cérebro nacional a partir da publicação das obras do ideólogo italiano pelo editor comunista Ênio Silveira logo depois do golpe de 1964. Na confusão geral que se apossou das esquerdas ante o fracasso de suas esperanças de cubanização rápida e indolor da sociedade brasileira, uma ala mergulhou na leitura das idiotices de Régis Débray e Che Guevara, torrando suas energias na "revolução impossível" das guerrilhas. Outra, mais esperta, recuou e apostou na estratégia de longo prazo que propunha ir conquistando o universo inteiro das artes, do ensino, da cultura, do jornalismo – discretamente, como quem não quer nada – antes de arriscar a sorte na luta direta contra o inimigo político. O governo militar, obsedado pelo empenho de reprimir as guerrilhas, não ligou a mínima para esses empreendimentos pacíficos, aparentemente inofensivos. Fez vista grossa e até os apoiou como derivativo e alternativa aceitável à oposição violenta. A idéia gramsciana foi tão bem sucedida que, já em plena ditadura militar, a esquerda mandava nas redações, marginalizando os direitistas mais salientes – Gustavo Corção, Lenildo Tabosa Pessoa – até excluí-los totalmente das colunas de jornais. O esquerdismo controlava tão eficazmente o sistema de ensino, que a própria disciplina de Educação Moral e Cívica, timidamente instituída por um governo que se abstinha de estender ao campo cultural a autoridade de que desfrutava na área policial-militar, acabou fornecendo uma tribuna para a disseminação das concepções "politicamente corretas" que vieram a forjar a mentalidade das gerações seguintes. No teatro, no cinema e na TV, a autoridade da esquerda pode ser medida pelo poder incontestе de veto ideológico exercido, na seleção das novelas da Globo – o mais vasto aparato de formação do imaginário popular – pelo casal de militantes comunistas Dias Gomes e Janete Clair. Idêntica filtragem aconteceu no movimento editorial. Aos poucos, todos os autores não aprovados pelo Partido Comunista desapareceram das livrarias, das bibliotecas escolares, dos programas universitários, e isto ainda na vigência de um regime cuja fama de anticomunista intolerante era apregoada aos quatro ventos pelos próprios comunistas que se beneficiavam de sua sonsa tolerância e omissão ideológica. Em toda a esfera cultural, artística, escolar e jornalística, a única diferença que se viu, com o fim da ditadura, foi a passagem da hegemonia tácita da esquerda ao domínio explícito e, agora sim, intolerante. A confortável hospitalidade com que, no tempo dos militares, esquerdistas notórios eram aceitos nos mais altos postos do jornalismo, do ensino e do show business contrasta de tal modo com a exclusão radical dos direitistas hoje em dia, que a aplicação do termo "ditadura" à primeira dessas épocas e "democracia" à segunda acaba soando singularmente irônica. Na época havia, é claro, o jornalismo "nanico", soi disant alternativo à grande mídia. Mas esta última estava quase que inteiramente nas mãos de esquerdistas como Cláudio Abramo, Luiz Alberto Bahia, Alberto Dines, Luiz Garcia e outros tantos, de modo que a diferença com os nanicos era antes de estilo que de conteúdo. Hoje, os jornalistas "de direita" estão todos na mídia nanica. Os poucos que ainda aparecem nas páginas dos grandes jornais são apenas colaboradores contratados. Nem entram nas redações.

O total domínio da cultura por uma corrente política, qualquer que seja, constitui já um mal em si. Mas o que aconteceu no Brasil foi muito mais grave:

1. Aquele domínio implicava, desde logo, o rebaixamento proposital do nível de exigência, em vista da ampliação semântica do termo "intelectual", que no contexto gramsciano abrange a totalidade dos indivíduos, com qualquer nível de instrução ou QI, que possam atuar na propaganda ideológica. Daí derivou a promoção de sambistas, roqueiros, publicitários e strip-teasers ao estatuto de "intelectuais", que resultou em última análise nesse descalabro da promoção do sr. Gilberto Gil ao cargo de ministro "da cultura".

2. O próprio termo "cultura" perdeu toda acepção qualitativa e pedagógica, reduzindo-se ao seu uso antropológico como denominação neutra e geral das "formas de expressão" populares. Nesse sentido, o samba-de-roda do Recôncavo Baiano deve ser incluído,

segundo aquele ministro, entre os grandes tesouros culturais da humanidade, junto com a filosofia de Aristóteles, a Catedral de Chartres e a mecânica quântica. *Todo es igual, nada es mejor.*

3. De maneira mais genérica, toda diferenciação do melhor e do pior, do mais alto e do mais baixo acabou sendo condenada como discriminatória e até racista. Milhares de livros e teses universitárias foram produzidos para consagrar como fundamento da cultura brasileira a proibição de distinguir (que não obstante continuou sendo usada contra "a direita").

4. Para legitimar o estado de total confusão mental daí decorrente, introduziram-se os princípios do relativismo e do desconstrucionismo, que, a pretexto de promover um pensamento supralógico, destroem nos estudantes até mesmo a capacidade de raciocínio lógico elementar, substituída por uma verborréia presunçosa que lhes dá uma ilusão de superioridade justamente no momento em que mergulham no mais fundo da estupidez.

5. Uma vez amortecida a capacidade de distinção, foi fácil disseminar por toda a sociedade os contravalores que deram forma ao Estatuto da Criança e a outros instrumentos legais que protegem os criminosos contra a sociedade, criando propositadamente o estado de violência, terror e anomia em que hoje vivemos, e do qual a própria esquerda se aproveita como atmosfera propícia para o comércio de novas propostas salvadoras.

Uma corrente política capaz de rebaixar a esse ponto a inteligência e a capacidade de discernimento de um povo não hesitará em destruir o país inteiro para conquistar mais poder e realizar os planos concebidos em encontros semi-secretos com movimentos revolucionários e organizações criminosas do exterior.

A esquerda brasileira – toda ela – é um bando de patifes ambiciosos, amorais, maquiavélicos, mentirosos e absolutamente incapazes de responder por seus atos ante o tribunal de uma consciência que não têm.

Está na hora de o país retirar de uma vez o voto de confiança que deu a essa gente num momento de fraqueza fabricado por ela própria.

PERDENDO A GUERRA CULTURAL[75]

"Cultura é o novo nome da propaganda", explicava o crítico literário português Fernando Alves Cristóvão. Bem, quando ele disse isso, o nome não era tão novo assim. Fazia quase setenta anos que os comunistas haviam reduzido a cultura a instrumento de propaganda e manipulação, rejeitando todos os seus demais usos e significados como superfetações burguesas puníveis, eventualmente, com pena de prisão. A novidade, nos anos 90, era que esse conceito havia se universalizado, tornando-se regra usual em círculos que antes o teriam desprezado como mero sintoma da barbárie comunista. A expressão mais visível desse fenômeno é a mudança drástica do sentido do título de "intelectual", hoje conferido automaticamente a qualquer um que engrosse por escrito alguma campanha de propaganda político-ideológica, mesmo que o faça em termos intelectualmente desprezíveis e numa linguagem de ginasiano relapso.

O plano de colocar o sr. Lula na Academia Brasileira de Letras, lançado anos atrás pelo falecido cientista político Raymundo Faoro, não foi levado adiante, mas já era um sinal visível de que a acepção elasticamente gramsciana do termo "intelectual" se tornara moeda corrente fora dos meios comunistas estritos. Mais ou menos na mesma ocasião, o sr. William Lima da Silva, líder do Comando Vermelho, por ter escrito um livro de memórias onde alegava que bandidos eram os outros, recebia tratamento de autor respeitável em plena Associação Brasileira de Imprensa, enquanto na Folha de São Paulo a jornalista Marilene Felinto dava estatuto de filósofo ao estuprador e assassino Marcinho VP,

---

75 Publicado em *Diário do Comércio*, em 18 de fevereiro de 2008.

que salvo engano tinha também olhos verdes. O silogismo aí subentendido fundia Herbert Marcuse e Antonio Gramsci. O primeiro dizia que os bandidos eram revolucionários. O segundo, que os revolucionários eram intelectuais. Logo, os bandidos eram intelectuais. A ABI e a Folha não eram instituições formalmente comunistas. Apenas tinham-se deixado dominar pela mentalidade comunista ao ponto de obedecer os seus mandamentos sem ter de aderir conscientemente à sua proposta política.

Mas o pior veio uns anos depois, quando a redução da cultura à propaganda começou a parecer natural e desejável aos olhos dos conservadores – ou "liberais", como são chamados usualmente no Brasil (mais uma curiosa inversão numa república onde tudo cresce de cabeça para baixo, como as bananas). Aconteceu que o conservadorismo brasileiro foi, em essência, uma criação de pequenos empresários. Essas pobres criaturas, acossadas pelo fisco, pelas leis trabalhistas, pela concorrência das multinacionais e pela crença estatal de que os capitalistas só não comem criancinhas porque preferem vendê-las sob a forma de salsichas, estavam tão preocupadas com a sua sobrevivência imediata que mal tinham tempo de pensar em outra coisa. Seu conservadorismo – ou liberalismo – foi assim reduzido à sua expressão mais frugal, ascética e descarnada: a defesa pura e simples do livre mercado, tomado como se fosse uma realidade em si e separado das condições civilizacionais e culturais que o tornam possível.

O primado do econômico, adotado inicialmente por mera urgência prática, acabou adquirindo, por força do hábito, o estatuto de uma verdade axiomática, da qual se deduziam as conclusões mais estapafúrdias e perigosas. Talvez a pior delas fosse a de que o progresso econômico é a melhor vacina contra as revoluções sociais. O fato de que jamais tivesse acontecido uma revolução social em país de economia declinante não abalava em nada o otimismo progressista daqueles risonhos empreendedores, que julgavam o estado geral da nação pelo balancete de suas respectivas empresas e se julgavam tremendamente realistas por isso. Nem os demovia da sua crença a obviedade histórica, já reconhecida pelos próprios marxistas, de que a classe revolucionária não se forma entre os proletários ou camponeses, muito menos entre os miseráveis e desempregados, mas entre as massas afluentes de classe média alimentadas de doutrina comunista nas universidades.

De outro lado, aconteceu que os liberais, ao mesmo tempo que se inchavam de entusiasmo ante a modesta recuperação econômica do país, eram cada vez mais excluídos da representação política. As eleições presidenciais de 2002 ofereceram à escolha do eleitorado quatro candidatos esquerdistas, dos quais nenhum, ao longo de toda a campanha, disse uma só palavra em favor da livre empresa. Nos anos subseqüentes, o partido nominalmente liberal – PFL – adaptou-se às circunstâncias aceitando sua condição de mero coadjuvante da esquerda light, mudou de nome para ficar parecido com o Partido Democrata americano (o partido preferido de Hugo Chávez e Fidel Castro) e nem mesmo resmungou quando foi declarado, pelo presidente petista reeleito, "um partido sem perspectiva de poder".

Condenados à marginalidade política, mas ao mesmo tempo anestesiados pelos sinais crescentes de recuperação da economia capitalista no país, os liberais apegaram-se mais ainda ao seu economicismo, desistindo do combate nos demais fronts, quando não aderindo ao programa esquerdista em todos os pontos sem relevância econômica imediata, como o gayzismo, o abortismo, as quotas raciais e o anticristianismo militante, na esperança louca de concorrer com a esquerda no seu próprio campo, sem perceber que com isso concediam ao adversário o monopólio da propaganda ideológica e se transformavam em dóceis instrumentos da "revolução cultural" gramsciana.

É compreensível que, nessas condições, toda a atividade mental da "direita" brasileira acabasse se reduzindo às análises econômicas e à propaganda de um produto único – o livre mercado –, perdendo toda relevância no debate cultural e rebaixando-se ao ponto de passar a aceitar como "intelectual representativo" qualquer moleque idiota capaz de dizer duas ou três palavrinhas contra a intervenção estatal no mercado.

Ironicamente, a esquerda, no mesmo período, decaiu intelectualmente ao ponto de raiar a barbárie pura e simples, mas, como os liberais não se interessavam pela luta cultural, continuou desfrutando do prestígio inalterado de suprema autoridade intelectual no país, sem sofrer nenhum abalo mais forte desde a publicação do meu livro *O Imbecil Coletivo* (1996).

Nunca, como ao longo das últimas décadas, o esquerdismo esteve tão fraco intelectualmente: um ataque maciço a esse flanco teria quebrado a máquina de doutrinação esquerdista nas universidades e na mídia, destruindo no berço a militância em formação e mudando o curso das eleições subseqüentes. Mil vezes tentei mostrar isso aos liberais, mas eles só davam ouvidos a quem falasse em PNB e investimentos. Trancaram-se na sua torre-de-marfim economicista e lá se encontram até hoje, perdendo mais terreno para os esquerdistas a cada dia que passa e conformando-se com sua condição de forças auxiliares, destinadas fatalmente a tornar-se cada vez mais desnecessárias à medida que a esquerda não-petista acumule vitórias contra o partido governante.

Fora dos círculos do liberalismo oficial, noto com satisfação algumas iniciativas novas destinadas a formar uma intelectualidade conservadora e liberal apta a oferecer uma resistência séria à "revolução cultural". Essas iniciativas partem de estudantes, de intelectuais isolados, e não têm nenhum apoio nem dos partidos "de direita", nem muito menos do empresariado. Mas é delas que dependerá o futuro do país, se algum houver.

ARREDONDANDO OS QUADRADOS[76]

As premissas do marxismo-pragmatismo são tolices sem sentido. Se uma coisa não é nada em si mesma, como poderíamos transformá-la em outra?

---

76 Publicado em *Diário do Comércio,* 8 de janeiro de 2010.

Dentre as inumeráveis regras que governam a estupidez humana, estas duas, opostas e complementares, são de especial importância para elucidar a conduta de intelectuais, políticos e formadores de opinião em geral:

Regra nº 1 – se um sujeito está persuadido de que os quadrados são redondos, ele fará todo o possível para arredondá-los.

Regra nº 2 – se o mesmo indivíduo ou outro parecido tem algum interesse em arredondar os quadrados, ele jurará que eles são redondos por natureza.

O pragmatismo, uma modalidade especialmente elegante de estupidez, fundiu essas regras numa só e as erigiu em princípio fundamental do conhecimento: os conceitos das coisas não dizem o que elas são, mas o que planejamos fazer com elas.

Para justificar a afirmativa, que soava um tanto paradoxal e interesseira à primeira audição, essa mimosa escola filosófica argumentou que o pensamento é ação, que portanto pensar numa coisa já é fazer algo com ela. Todos os atos cognitivos tornavam-se assim uma forma de manipulação da realidade, o que resultava em suprimir toda possibilidade de conhecimento teórico e afirmar resolutamente que só existe conhecimento prático.

Enquanto na América Charles Peirce, William James e Josiah Royce se compraziam nessas reflexões tão agradáveis aos homens de indústria, para os quais tudo o que existe não passa de matéria-prima para a produção de outra coisa que também não existirá senão como projeção do que os consumidores pretendam fazer com ela, do outro lado do oceano um cidadão que odiava homens de indústria vinha inventando umas idéias bem parecidas.

Para Karl Marx, uma ciência que pretenda descrever o mundo como ele é não passa de uma ilusão burguesa, nascida da divisão do trabalho. Como os burgueses ficam no escritório ou em casa, sem sujar suas mãozinhas na luta direta com a matéria industrial, eles imaginam que há uma diferença entre conhecimento teórico e prático. Mas os proletários, que pegam no pesado para executar os planos dos burgueses, sabem que seus esforços de todos os dias são a materialização viva das idéias burguesas, as quais portanto não têm nenhuma existência em si mesmas e são apenas planos malignos de obrigar o proletariado a fazer isso ou aquilo. A verdadeira ciência, concluía Marx, não consiste em conhecer a realidade, mas em transformá-la. Os burgueses já praticavam essa ciência, mas não podiam confessar que faziam isso: para preservar sua auto-imagem de pessoas decentes enquanto sugavam o sangue dos proletários, tinham de se enganar a si mesmos imaginando que sua concepção do mundo era pura contemplação teórica, alheia a interesses menores. Daí o culto burguês da "ciência" como uma espécie de religião leiga, personificada no clero universitário que, da Idade das Luzes em diante, sobrepunha sua autoridade à dos padres e bispos medievais.

Não demorou muito para que essas duas correntes de idéias análogas, vindas de continentes distantes, se fundissem numa cabeça especialmente imaginativa, a do filósofo italiano Antonio Labriola, segundo o qual o marxismo é uma espécie de pragmatismo e vice-versa. Labriola repassou essa descoberta a seu discípulo Antonio Gramsci, que a transformou numa genial estratégia de propaganda revolucionária: já que as coisas não são nada em si mesmas, elas podem ser o que o Partido determine que elas sejam. Conseqüentemente, não existe conhecimento da verdade, mas "construção coletiva" da única realidade verdadeira: a conquista do poder, a glória final do partido revolucionário.

As idéias de Gramsci penetraram tão profundamente na alma do esquerdismo universal, que até o militante mais sonso, incapaz de atinar com qualquer sutileza, acaba se deixando conduzir por elas na prática, por uma espécie de mimetismo inconsciente. É com uma total naturalidade que essas pessoas falam a toda hora em "construção da verdade" e "construção da memória", sem ter a mínima suspeita de que esses giros de linguagem implicam de fato a negação de toda verdade objetiva, o intuito de transformar os fatos em vez de conhecê-los.

Num trabalho publicado em 2002, defendendo a criação de "centros de memória empresarial", a historiadora Marieta de Moraes Ferreira, com aquela candura tocante, declarava que o objetivo dessas entidades era "acompanhar o trabalho permanente de construção da memória ao selecionar o que deve ser valorizado e o que deve ser esquecido".[77]

Em 2007, no I Congresso de Ex-Presos e Perseguidos Políticos, falando em favor daquilo que viria a ser a malfadada "Comissão da Verdade", o promotor Marlon Weichert advogava bravamente a "construção da verdade, através da abertura dos arquivos". Quando a proposta tomou forma, tornando-se evidente aos olhos de todos que se tratava de investigar metade dos crimes e abafar a outra metade, ninguém se lembrou de observar que a seletividade deformante não era uma distorção da idéia original, mas a sua realização literal e exata, perfeitamente coerente com as doutrinas de Labriola e Gramsci. Não por coincidência, o mesmo evento no qual o promotor apresentou sua proposta encerrou-se com uma comovida homenagem aos assassinos Pedro Lobo e Carlos Lamarca, este último o nobre detentor do mérito de haver esmigalhado a coronhadas a cabeça de um prisioneiro amarrado.

Mas não foi só nos meios mais obviamente militantes que o espírito do marxismo pragmatista deixou suas marcas. Nas faculdades de letras, a crença de que os textos não têm nenhum significado em si mesmos, de que cada leitor "constrói sua leitura" conforme bem entenda, tornou-se uma cláusula pétrea dos estudos literários. Se o aluno protesta contra alguma interpretação cretina, alegando "Não foi isso o que o autor quis dizer", tem um zero garantido. Os autores não dizem nada, meu filho: você é que "constrói" as obras deles. Em educação infantil, a longa hegemonia das doutrinas "construtivistas" de Jean Piaget, Emilia Ferrero, Paulo Freire e tutti quanti consagrou a estupidificação

---

[77] Cf. "História, tempo presente e História Oral". *Topoi – Revista de História*, Rio de Janeiro, dezembro de 2002, p. 314-332.

geral da meninada como uma grande realização pedagógica: não se espante quando seu filho voltar da escola seguro de que o teorema de Pitágoras é uma imposição cultural arbitrária, de que Jesus Cristo era gay ou de que existem campos de concentração em Israel. Afinal, a realidade é pura construção.

As premissas do marxismo-pragmatismo são tolices sem sentido. Se uma coisa não é nada em si mesma, como poderíamos transformá-la em outra? Se os conceitos nada dizem sobre a realidade, também não podem dizer nada sobre o nosso conhecimento da realidade, o qual é também uma realidade. Se nossa apreensão das coisas não nos dá o conhecimento do que elas são, mas só do que planejamos fazer com elas, como poderíamos conhecer nosso próprio plano se não inventando algum outro plano a respeito dele, e outro, e outro mais, e assim por diante até o infinito. Como outras tantas modas intelectuais, o marxismo-pragmatismo é uma técnica de preencher o vazio com o vácuo.

Mas, quando uma doutrina idiota se impregna em toda uma cultura como essa se impregnou na cultura contemporânea, a própria idiotice se torna premissa fundante de inumeráveis argumentos em circulação, investida de força probatória automática, e toda resistência que se lhe ofereça toma ares de heterodoxia extravagante e abominável.

REVOLUÇÃO SOCIAL[78]

Revolução social não é, como dizem os marxistas, a substituição de uma "classe dominante" por outra. Isso é apenas uma figura de linguagem, uma metonímia. Ao fim de uma revolução social, os mesmos grupos ou pessoas podem continuar no poder. Isso não faz a mais mínima diferença. Substantivamente, literalmente, revolução social é uma mudança radical dos meios

---

[78] Publicado em *Diário do Comércio*, em 10 de agosto de 2011.

de alcançar riqueza, prestígio e poder. Quem manda pode continuar mandando, mas por outras vias. Por exemplo, na Idade Média européia, havia os seguintes meios de subir na vida (ou de manter-se no alto): a posse da terra, por conquista ou herança; a profissão militar; uma bem sucedida carreira eclesiástica. Fora disso, mesmo que você tivesse muito dinheiro, mesmo que fosse um gênio, não chegaria ao primeiro escalão do poder. Quando se formaram os Estados nacionais modernos, os reis precisaram de dinheiro para criar exércitos que pudessem sobrepor-se ao poderes locais, assim como de uma burocracia administrativa e jurídico-policial, que desse ao governo central o controle do país inteiro. Resultado: de repente, banqueiros e burocratas passaram a mandar mais que os barões e cardeais. Isso quer dizer que entrou no poder uma nova "classe social"? Não. Na Inglaterra, a velha classe aristocrática ocupou os lugares na nova hierarquia, e continuou mandando. Na França, deixou a vaga para uma horda de alpinistas sociais, e estes tomaram o seu lugar. Nos dois casos houve uma revolução social. Revolução social não é troca de classe dominante: é troca dos meios de tornar-se (ou permanecer) classe dominante.

No Brasil um processo claro, patente, manifesto de revolução social está em curso, e aparentemente ninguém, fora os comandantes do processo – que ao menos por enquanto não têm o menor interesse de alardeá-lo –, parece dar-se conta disso.

Até uns anos atrás, ganhar dinheiro na indústria, no comércio ou na agricultura era um meio seguro de chegar ao poder ou ao menos de influenciar os ocupantes do poder. Uma carreira militar bem sucedida tinha o mesmo resultado. Ser um cientista, um técnico, um erudito, um escritor, um jurista de primeira ordem, idem.

Agora, todos esses velhos meios de ascensão estão sendo substituídos por um novo, que os domina e os controla. Isso não quer dizer que não funcionem mais. Funcionam, mas como instrumentos auxiliares do meio principal, que rapidamente vai-se tornando o único legítimo, o único socialmente aprovado. Para adquirir ou conservar poder e prestígio no Brasil de hoje, até mesmo para conservar alguma margem de liberdade e segurança, você tem de pertencer ao Partido governante, a um de seus associados ou aos grupos de influência que orbitam em torno dele. Chamemos a esse pool de organizações, para simplificar, o Esquema. Na mais tolerante das hipóteses, você tem de negociar com essa gente e ceder. Ceder até o extremo limite da degradação e da humilhação. Aí permitem que você conserve o seu lugar na sociedade, mas sempre como concessão provisória, jamais como direito adquirido.

Suponha que você seja um juiz de Direito. Até algum tempo atrás, isso garantia poder, segurança e liberdade. Agora, depende de que você sentencie de acordo com a vontade do Esquema. Se você o contraria, logo descobre que grupos de pressão mandam mais que uma sentença judicial. De algum modo, todas as sentenças já vêm prontas, assinadas pelo Esquema. As outras são inócuas.

Nem falo dos empresários. Podem ganhar dinheiro a rodo, mas toda a sua influência no poder consiste em tentar ser úteis ao Esquema, que os tolera como um mal provisório.

E se você é um general de Exército, dê graças aos céus de que o Esquema lhe garanta ainda um lugarzinho no palanque, em troca das condecorações que você deu a comunistas, terroristas aposentados e ladrões notórios.

Um simples posto na diretoria de "movimento social" dá mais poder que tudo isso junto. Coloca você acima das leis, dos Direitos Humanos, da Constituição, dos Dez Mandamentos e das exigências da aritmética elementar (num país que tem 50 mil homicídios por ano, as mortes de duzentos homossexuais no meio dessa massa de vítimas não consta oficialmente como prova de uma epidemia de violência anti-gay?).

Os novos meios de subir e cair já são uma realidade, já são a nova estrutura social. Quarenta anos de revolução cultural anestesiaram a população para que a aceitasse sem um pio, sem um vago sentimento de desconforto sequer. Essa etapa está encerrada. A revolução social já veio, já está aí, e a única reação do povo e das elites é procurar desesperadamente um lugarzinho à sombra dela, a abençoada proteção do Esquema.

RECORDAÇÕES INÚTEIS[79]

Uma fraqueza crônica do pensamento liberal é que, em sua resistência obstinada e não raro heróica ao crescimento do poder estatal, acaba por fazer vista grossa ao fato de que nem sempre os movimentos revolucionários e ditatoriais concentram o poder no Estado, mas às vezes fora dele. Na verdade, nenhum movimento poderia se apossar do Estado se primeiro não se tornasse mais poderoso que ele, criando meios de ação capazes de neutralizar e sobrepor-se a qualquer interferência estatal adversa, bem como, é claro, de manobrar o Estado desde fora e utilizá-lo para seus próprios fins. Qualquer principiante no estudo do leninismo sabe disso.

Que a esquerda petista e pró-petista estava destinada a dominar por completo o Estado brasileiro sem encontrar a mais mínima resistência, é coisa que para mim já estava clara pelo menos desde 1993, quando as famosas CPIs mostraram ser o nosso Parlamento nada mais que um bichinho dócil às injunções da grande mídia, alimentada e manobrada por sua vez pelo onipresente e onissapiente serviço de informações do PT. Foi naquele ano que publiquei "A Nova Era e a Revolução Cultural", dando ciência – a quem não desejava ciência nenhuma, por achar que já possuia todas – de que a petização integral do Brasil era apenas questão de tempo. Mal havia então, entre os liberais, quem imaginasse sequer que o PT pudesse vir a ter alguma chance de eleger um presidente da República. E todos me olhavam como a um egresso do Pinel quando eu lhes dizia

---

79 Publicado em *Diário do Comércio*, em 7 de março de 2012.

que, quando isso viesse a acontecer, como fatalmente aconteceria, seria numa ocasião em que o Estado já estivesse completamente dominado por dentro e por fora, a conquista do governo federal nada mais constituindo que a oficialização derradeira de um fato longamente consumado.

Enquanto isso, a intelectualidade liberal gastava todos os seus neurônios no empenho idealístico de defender no plano doutrinário a economia de mercado e a liberdade democrática, duas coisas que a esquerda nem pensaria em atacar muito seriamente naquele momento, já que precisava de ambas para poder parasitá-las e continuar crescendo até ficar forte o bastante para subjugá-las, deformá-las e, no devido tempo (que só agora está chegando) extingui-las.

Havia até quem celebrasse a proliferação das ONGs como um progresso notável da democracia liberal, na medida em que, consagrando as vias não-oficiais de ação social e política, fortalecia a sociedade civil contra as pretensões avassaladoras do gigantismo estatal.

Em vão advertia eu a essas criaturas que a "sociedade civil" era o terreno de escolha para a penetração das forças revolucionárias, decididas a só se lançar à conquista do poder de governo quando estivessem seguras de controlar, por vias não-oficiais, todos os meios possíveis de modelagem da opinião pública, assim como todos os canais de financiamento estatal e privado de uma multidão de empreendimentos revolucionários maiores e menores, setorizados e discretos o bastante para que seu efeito de conjunto simulasse uma transformação espontânea da mentalidade popular. A própria disseminação do termo, insistia este insano colunista, refletia a influência crescente e anônima do pensamento de Antonio Gramsci, naquela época já o autor mais estudado e mais citado em todas as faculdades de letras e de ciências humanas no Brasil, só ignorado por aqueles que mais interesse deveriam ter em defender-se da revolução gramscista.

O primeiro sinal de que alguém havia me prestado alguma atenção não veio senão decorrida quase uma década, e não veio dos liberais. Um artigo memorável do general José Fábrega, publicado em jornal de pequena circulação, mostrou que entre os militares havia ainda alguma inteligência desperta, o que veio a se comprovar nos anos seguintes com os dois livros espetaculares, tecnicamente perfeitos, do general Sérgio Augusto de Avelar Coutinho, *A Revolução Gramscista no Ocidente* (Rio de Janeiro, Estandarte, 2002) e *Cadernos da liberdade* (Belo Horizonte, Grupo Inconfidência, 2004), infelizmente publicados tarde demais para poder inspirar qualquer ação eficaz contra o projeto de controle hegemônico da sociedade brasileira, àquela altura já praticamente vitorioso. O general Coutinho faleceu em 27 de dezembro de 2011, amargurado de ver a facilidade estonteante com que a malícia organizada – que a estratégia de Gramsci não passa disso – havia se apoderado do país. O que mais o entristecia era que um processo de dominação tão óbvio, tão patente, tão bem explicado de antemão e tão fácil de compreender, pudesse ter sido aplicado a toda uma nação de maneira tão anestésica e imperceptível que qualquer gemido de protesto acabasse soando como extravagância intolerável e quase sinal de demência. Se no resto do mundo a vida imita a arte, no Brasil ela imita a piada: nossa democracia realizou à risca, com séculos de atraso, a *boutade* de Jonathan Swift sobre o cidadão que morreu mas, não tendo sido avisado disso, continuava acreditando que estava vivo.

A CAMUFLAGEM DA CAMUFLAGEM[80]

Repito, pela enésima vez, o conselho de Georg Jellinek: no estudo da sociedade, da política e da História, a precaução número um é distinguir entre os processos que nascem de uma

---

80 Publicado em *Diario do Comércio*, em 12 de junho de 2012.

ação consciente e os que resultam da confluência impremeditada de fatores diversos.

Ao longo da minha vida de estudos, fui colhendo, aqui e ali, alguns preceitos que, por sua evidência máxima e seu poder elucidativo, acabaram se incorporando definitivamente às minhas faculdades de percepção e continuam guiando os passos da minha vacilante inépcia entre as brumas e a fumaça da confusão contemporânea.

Esse é um deles.

O vício de tudo querer reduzir a "leis históricas", "estruturas", "causas" e outras forças anônimas, suprimindo do panorama os agentes conscientes e todo elemento de premeditação, só tem de científico a aparência enganosa que deslumbra e fascina multidões de estudantes devotados a alcançar, como supremo objetivo na vida, a perfeita macaqueação do discurso pedante sem o qual não se avança na carreira acadêmica.

Isso é tão prejudicial à compreensão dos fatos quanto o velho mito carlyleano que fazia do universo histórico inteiro o cenário passivo da ação criadora de uns quantos indivíduos notáveis, heróis ou monstros sobre-humanos.

Jellinek acertou na mosca quando transpôs ao cenário maior da história e da sociedade um dado do senso comum, que até os mais burros e inexperientes sabem aplicar na existência de todos os dias, e que mais tarde Ortega y Gasset resumiria na fórmula exemplar: *"La vida es lo que hacemos... y lo que nos pasa"*. Nossa vida resulta da mistura entre aquilo que fazemos e aquilo que nos vem de fora sem qualquer iniciativa da nossa parte.

O culto unilateral das causas impessoais resulta, em parte, de um preconceito positivista e marxista que aliás nem Comte nem Marx jamais subscreveriam, em parte de um instintivo desejo humano de pular fora de toda responsabilidade pessoal concreta (fazendo, por exemplo, dos criminosos as vítimas inermes e santas da má distribuição de renda). Mas resulta também, e com muita freqüência, da astúcia dos próprios agentes históricos, que se escondem por trás de forças anônimas para não ser pegos de calças na mão em pleno ato de implementar algum plano que dependa, para o seu sucesso, da discrição e do segredo. Não há nada de estranho em que esses agentes, com aquela expressão inconfundível de dignidade ofendida que só os mais rematados hipócritas conseguem imitar com perfeição, recorram ao rótulo infamante de "teoria da conspiração" sempre que alguém os acuse de fazer o que estão fazendo. Também é compreensível que ninguém tenha feito apelo mais reiterado e constante a essa camuflagem do que aquele movimento que, desde suas origens, assumiu a clandestinidade como condição essencial do seu modo de ação e a duplicidade escorregadia da dialética como seu linguajar oficial. Refiro-me, é claro, ao movimento comunista. E mais compreensível ainda é que essa auto-ocultação sistemática tenha redobrado de eficácia desde o momento em que Antonio Gramsci ensinou a seus companheiros que a mentira e o fingimento não eram apenas um instrumento tático, por obrigatório e consagrado que fosse, mas sim a própria natureza íntima, a essência e a chave do processo revolucionário como um todo.

Sim, a verdade é essa. Despido dos adornos humanitários que o embelezaram *ex post facto*, e que comparados à truculência grossa e crua de seus antecessores soviéticos lhe dão mesmo uma aparência angélica, o gramscismo não é nada mais, nada menos, que a mais completa, abrangente e meticulosa sistematização do engodo como método essencial da ação política – e o é em escala ainda mais vasta e em sentido ainda mais radical do que o Príncipe de Maquiavel, que lhe serviu de inspiração remota e esboço primitivo.

Como descrever, senão nesses termos, uma estratégia sutil planejada para que todas as pessoas vão se tornando socialistas pouco a pouco, sem percebê-lo, e da noite para o dia acordem em plena ditadura socialista sem ter a menor idéia de como, quando e por que mãos se operou tão tremendo milagre?

Essa é, sem nenhuma imprecisão ou exagero, a definição e a fórmula da estratégia de Gramsci para a conquista do poder absoluto pelo movimento comunista.

Mas toda camufagem que se preze é dupla: encobre primeiro o objeto que quer ocultar e depois se camufla a si mesma, para passar despercebida. Tão logo as obras de Antonio Gramsci começaram a ser publicadas em 1947, a intelligentzia esquerdista se apressou a classificá-las – e a elite conservadora a aceitá-las sonsamente – como expressões de um "marxismo ocidental" original, não-dogmático, marginal e independente do tronco oficial do movimento comunista.

O que aconteceu foi que, após ter sido oficialmente impugnada até à morte de Stalin em 1955, a estratégia gramsciana foi adotada integral e entusiasticamente pela KGB e, desde o início dos anos 60, aplicada em todo o Ocidente com a pletora de recursos financeiros e instrumentos de ação acessíveis àquela que era, e é ainda sob outro nome, a maior e mais poderosa organização de qualquer tipo que já existiu no mundo. Na verdade, o próprio Stálin só rejeitou a parte do gramscismo que preconizava a independência dos partidos comunistas nacionais, mas não deixou de se utilizar de técnicas da "revolução cultural" desde a década de 30, especialmente nos EUA.

Esses dois fatos poderiam ter sido antevistos em tempo, com um pouco de inteligência. No entanto, mesmo depois de bem comprovados pelos documentos dos Arquivos de Moscou, ainda há quem teime em ignorá-los.

POSFÁCIO:
UMA CONVERSA COM O AUTOR
DUAS DÉCADAS DEPOIS

por Silvio Grimaldo

Silvio Grimaldo – *Neste ano, A Nova Era e a Revolução Cultural completa duas décadas.*[81] *Muitas coisas aconteceram nesses vinte anos. A mais notória foi a ascensão do PT ao poder em 2002 – 8 anos depois da publicação do livro – e sua permanência no governo nos últimos 12 anos. Na época de sua publicação, o livro soava como um alerta, um aviso. Hoje, ignorado por quem poderia evitar o pior, o livro aponta para um fato consumado. Como você avalia o desenvolvimento da revolução cultural gramsciana no Brasil ao longo dessas duas décadas?*

Olavo de Carvalho – A Revolução Cultural começa muito antes disso, já na década de 1960. Com o Golpe de 64, a esquerda se divide: uma parte vai para a guerrilha e outra vai estudar Antônio Gramsci e tentar implantar a Revolução Cultural. Esta segunda ala foi a que venceu e já era uma força dominante por volta de 1980, uma época em que Gramsci era o autor mais citado em trabalhos universitários no Brasil. Eu acredito até que as gerações seguintes não estão tão impregnadas de um gramscismo consciente, mas apenas de um gramscismo residual. Há pessoas que estão claramente trabalhando no sentido da Revolução

---

81 Este texto é a transcrição de uma conversa entre o autor do livro e o editor da presente edição, realizada na biblioteca de Olavo de Carvalho, em sua residência na Virginia, EUA, em 6 de maio de 2014, com a intenção de servir de posfácio para esta quarta edição. O texto é publicado aqui sem a revisão do autor.

Cultural e não se reconhecem com agentes gramscianos. Elas não estão mentindo; simplesmente não sabem. Isso denota que o Brasil já chegou àquele estágio descrito por Gramsci em que as pessoas são socialista sem o saber, e em que o Partido dispõe da autoridade onipresente e invisível de um imperativo categórico. Ou seja, raciocinar de acordo com o que o Partido Comunista determinou 30 anos atrás parece hoje natural e inevitável. As pessoas não sabem mais a quem estão obedecendo, aliás, nem sabem que estão seguindo alguém, elas simplesmente agem de acordo com aquilo que lhes parece o curso natural das coisas. É nesto ponto que o Brasil chegou e sob esse aspecto podemos dizer que a Revolução Cultural é completamente vitoriosa em nosso país.

Quando eu publiquei este livro, e depois *O Jardim das Aflições*, não havia uma voz discordante em todo o panorama nacional. O que eu dizia era tão estranho que ninguém sabia o que fazer com aquilo. Tudo parecia apenas a opinião exótica de um maluco. Aos poucos, o que eu estava dizendo foi se comprovando verdade, as coisas estavam realmente tomando aquele rumo, mas a reação foi muito lenta. No meio militar, por exemplo, o primeiro sinal de que alguém havia lido e compreendido o que eu havia dito veio apenas 8 anos depois, com um artigo do General José Fábrega, num jornal militar, e depois com a publicação de dois livros muito bons do General Sérgio Augusto de Avellar Coutinho.

Na época em que este livro foi publicado, a visão comum era de que o PT não representava perigo algum, que ele ficaria sempre entre 15 e 20% do eleitorado, sem chances de subir. Para os bem pensantes, os donos de jornais, o comunismo estava extinto e falar disso era açoitar um cavalo morto. Na verdade, até às vésperas das eleições de 2002 as pessoas pensavam assim. Algum tempo antes da eleição, o *Los Angeles Times* reuniu 12 especialistas em assuntos brasileiros, alguns americanos, e todos asseguravam que o PT não venceria. Ao mesmo tempo eu escrevia que a vitória do PT não era apenas certa mas inevitável. Eu levava em conta todo esse trabalho preparatório da Revolução Cultural, que convergia para a vantagem do PT. Ou seja, a atmosfera cultural já estava totalmente dominada. Era difícil encontrar alguém que conseguisse pensar fora dos cânones da esquerda, mesmo não sabendo que era esquerda. E esse é justamente o problema. A característica mais terrível do gramscismo é que ele não é uma doutrinação, não é uma pregação, ele é uma preparação de reações mais ou menos automáticas e inconscientes, por meio da imitação, segundo aquilo que Willi Münzenberg chamava de "criação de coelhos". O processo é inconsciente e foi feito para ser assim.

S. G. – *É mais um sistema de substituição de hábitos do que de crenças?*

O. de C. – Certamente. E isso ainda foi ajudado pelas novas técnicas de educação que foram sendo implantadas no Brasil, que são técnicas de modificação de comportamentos sem passar pela modificação da opinião. A opinião, o juízo que um sujeito faz de determinada situação não interessa mais. A única coisa que interessa é a conduta. Uma vez que se conseguiu determinar a conduta de um sujeito para certo sentido, suas idéias vão acompanhar sua conduta. Ele vai raciocinar retroativamente em defesa daquilo que fez. Como isso foi adotado massivamente no Brasil – não por influência direta do gramscismo, mas por meio de organismos internacionais e grandes fundações – as duas coisas convergiram para o país inteiro se tornar, como dizia Gramsci, socialista sem saber.

S. G. – *A estratégia revolucionária gramsciana é divida em duas fases: a primeira é a preparação no terreno cultural, como acabamos de ver, a segunda, é a tomada de poder efetiva. Podemos dizer que essa segunda fase começou a ocorrer quando o PT venceu as eleições e implantou várias estratégias para conseguir controlar o Estado, como o inchamento e aparelhamento burocrático do Executivo e o Mensalão, que foi uma tentativa de controlar o Congresso, ainda arredio ao PT. Isso, ao meu ver, nos mostra duas coisas importantes sobre a Revolução Cultural* *no Brasil. Em primeiro lugar, que o PT tem a hegemonia cultural mas não tem todo o controle político (ou não tinha, durante o primeiro mandato de Lula); em segundo lugar, que a Revolução Cultural não pára, mesmo depois da tomada do Estado. Como os rumos da Revolução Cultural mudaram depois da vitória do PT em 2002?*

O. de C. – De fato, a Revolução Cultural não pára, mas existe um aspecto contraditório no processo. Para a Revolução Cultural funcionar é necessário que ela seja quase imperceptível, que atue por meio da infiltração em escolas, imprensa e igrejas e por meio da alteração gradual de valores e símbolos, sem pregar socialismo ou falar em comunismo. Contudo, depois que se toma o poder, as ações precisam ser mais explícitas. Então, de certo modo, a Revolução Cultural perde força a partir do momento em que o Partido domina o Estado. Seria necessário continuá-la, mas ao mesmo tempo é impossível, porque seus objetivos vão se tornando cada vez mais explícitos. Mas veja bem, seus objetivos se tornam cada vez mais explícitos para quem sabe observar, pois há pessoas que não perceberam nada disso do que estamos falando até hoje.

S. G. – *Quando um Partido toma o poder e tenta avançar uma agenda como, por exemplo, a implantação da ideologia de gênero nas escolas, não podemos afirmar que essa ação é tanto um aprofundamento da Revolução Cultural quanto uma expressão da hegemonia política do Partido?*

O. de C. – Há, evidentemente, uma institucionalização da Revolução Cultural, mas não é possível fazer isso, transformar essa agenda em leis, imperceptivelmente. Para isso terá que ser levantado um debate público, mas a técnica anterior era contornar o debate, como se nada estivesse acontecendo. Como a ação revolucionária era disseminada por toda sociedade, sem que viesse de cima, era possível que ela se prolongasse por muitos anos sem que ninguém tivesse consciência do que estava acontecendo. Mas a partir do momento que o Partido tem o poder nas mãos e precisa criar leis e mudar as regras do jogo, ele necessariamente vai criar um debate. Tanto que desde o início do governo, o PT gerou uma resistência e uma oposição dentro das próprias fileiras da esquerda. Eles estavam acostumados a fazer tudo lenta e sutilmente e se depararam de repente com a imposição de um poder. Então começaram as dissensões, como Fernando Gabeira, Hélio Bicudo, Chico de Oliveira, etc.

S. G. – *Mas isso de certa forma acaba aprofundando a estratégia gramsciana, já que no debate público e intelectual, a esquerda no poder se torna a direita aceitável, e a esquerda fora do governo passa a representar a verdadeira esquerda, fechando a discussão política em torno das várias correntes esquerdistas.*

O. de C. – A direita e a esquerda são substituídas pela direita da esquerda e a esquerda da esquerda. Isso é natural do processo e já indica a posse da hegemonia, pois o debate está totalmente controlado. Mas isso já acontecia antes da conquista do Estado, pois na eleição de 2002 – e também na de 2006 – todos os candidatos eram esquerdistas. O que poderia se chamar de direita estava totalmente excluída do processo, ela já não existia mais. Então, de certo modo, o objetivo da Revolução Cultural foi inteiramente atingido já às vésperas da eleição que levou o PT ao poder.

S. G. – *O próprio Lula admitiu entusiasmado que, pela primeira vez na história, teríamos uma eleição sem um representante da direita...*

O. de C. – Sim, eles começaram a sair do armário. E note bem, quando ele disse isso ninguém achou estranho, ninguém ficou chocado. A população inteira estava pronta para aceitar uma eleição em que há apenas uma corrente política disputando o poder. Já era normal que todos os candidatos fossem esquerdistas. A política nacional se tornou a disputa interna da esquerda. E está assim até hoje.

S. G. – *Então você acredita que ainda hoje é possível falar em uma Revolução Cultural?*

O. de C. – Não. Pela seguinte razão: uma Revolução Cultural é feita por meio de intelectuais, e as esquerda não os tem mais. Gramsci dá uma definição muito ampla de intelectual, que é qualquer sujeito que trabalhe para a propaganda do Partido. Mas para isso são necessários intelectuais *stricto sensu* também, pessoas que têm projeção na mídia, como Luiz Fernando Veríssimo, Arnaldo Jabor, etc. Intelectuais públicos, por assim dizer. E o fato é que o PT não conseguiu reciclar o exército de intelectuais que ele tinha. São todos decadentes hoje. Se olhamos para o que havia antes e comparamos com o Fernando Haddad, com Vladimir Safatle, com Leonardo Sakamoto, percebe-se que a queda foi vertiginosa. Não se pode comparar essa gente com os intelectuais de esquerda dos anos 60. Naquela época havia Otto Maria Carpeaux, Leandro Konder, Ênio Silveira, etc. O próprio Emir Sader, que é de uma geração anterior à atual, decaiu muito.

Como não houve essa reciclagem dos intelectuais, a esquerda tem hoje o domínio dos aparatos educacionais, mas não tem mais a liderança cultural. Ninguém tomou essa liderança, a esquerda simplesmente caiu e ninguém tomou o lugar. Há uma geração de jovens que têm saído dos meus cursos e que estão ocupando alguns lugares, mas eles ainda não têm a relevância que tinham os intelectuais dos anos 60.

S. G. – *Por que razão a esquerda não conseguiu recompor-se culturalmente? Os intelectuais de esquerda não são mais necessário para a manutenção do poder?*

O. de C. – A decomposição da intelectualidade marxista é um fenômeno mundial. Hoje o que sobra de intelectuais marxistas são pessoas com 80 ou 90 anos de idade. Alguns outros são tipos muitos esquisitos que ninguém compreende muito bem, como Zizek ou David Harvey. São dois ou três apenas, não há mais aquela plêiade de intelectuais como havia antigamente. Isso acontece por conta das próprias contradições internas do sistema marxista. Até que ponto uma máquina ideológica consegue se recuperar depois do vexame dos seus próprios crimes e fracassos? Uma, duas, três vezes, mas uma hora se esgota. O fato de que muitas pessoas saíram da esquerda e se tornaram ferrenhamente anti-comunistas, como Stéphane Courtois, autor de *O livro negro do comunismo*,[82] é sinal da decomposição da intelectualidade marxista. Há muitas contradições no marxismo, é impossível não ver certas coisas. Sempre haverá os crentes, evidentemente, que continuam afirmando aquilo até o túmulo, que não querem ver os fatos, como Eric Hobsbawm e Oscar Niemeyer, mas eles se tornam apenas figuras folclóricas, sem função orgânica no sistema da Revolução Cultural. Eles se tornam apenas símbolos.

No Brasil, os efeitos dessa decomposição da intelectualidade marxista são notáveis. Não existe hoje um único intelectual marxista capaz de sustentar uma discussão por cinco minutos. O que eles fazem é fechar o debate em torno deles mesmos, mas não se expõem ao adversário.

A esquerda conquistou o poder no sentido externo, mas perdeu a inspiração.

S. G. – *Isso torna o futuro da Revolução Cultural uma incógnita, porque ela precisa da criação constante de mitos, valores e símbolos agregadores.*

O. de C. – Por isso que eu digo que não há mais Revolução Cultural. Isso aí acabou, a esquerda não tem mais condições de criar esses valores.

S. G. – *Então a alternativa que resta é a Revolução violenta leninista?*

O. de C. – É o que a esquerda terá que fazer, mas realizar isso é difícil, talvez impossível. Para implantar uma ditadura é preciso ter uma polícia organizada e dócil, e a esquerda não a tem. O que existe são as polícias estaduais, que em geral são hostis a essa

---

82 Rio de Janeiro: Bertrand Brasil, 1999.

política. Há uma tentativa de unificar as polícias sob o comando federal, mas é uma tentativa apenas, e não quer dizer que quando assumirem o comando, os policiais serão dóceis e se deixarão usar para a repressão dos inimigos ideológicos do governo. Leva tempo para se construir uma polícia assim. Em todo lugar que houve revolução, a polícia foi recriada com novos oficiais. Onde havia um delegado de polícia havia junto um comissário do povo para fiscalizá-lo. No Brasil, não existem pessoas para isso.

Esse é o problema. A esquerda é a única força política que existe no Brasil, mas essa força é débil, é fraca para promover mudanças profundas como ela desejaria. Ela só está no poder por absoluta falta de oposição. A esquerda conseguiu destruir a concorrência, mas ela tem um domínio muito precário do rumo das coisas. O que realmente fica é esse elemento predatório, sangue-suga, esgotando o país apenas. É só isso que eles podem fazer.

A situação não é como na Venezuela, onde há uma militância chavista/madurista armada e disposta a prender e matar, e do outro lado, uma oposição disposta a resistir e morrer. No Brasil não existe nem uma coisa nem outra: um lado, a direita, é inexistente; o outro, a esquerda, é fraco.

A esquerda tem o governo mas não governa. Ela está vivendo apenas de truques e expedientes, esperando uma oportunidade de fazer algo.

S. G. – *Estão vivendo da inércia da vitória ocorrida há 10 anos?*

O. de C. – Sim. É um movimento inercial. E eu não acredito que eles sejam capazes de se renovar. Na verdade, a esquerda é tão incapaz de se renovar quanto a direita é incapaz de se constituir. Podemos dizer que não há mais forças políticas no Brasil, mas apenas uma força administrativa no governo. Não há política no Brasil, mas apenas um pouquinho de discussão interna da esquerda, que deseja fazer algo. O próprio Lula disse: "não sabemos o tipo de socialismo que queremos". Não sabem, nem saberão jamais. Na verdade, não farão socialismo algum, continuarão apenas parasitando as fraquezas do sistema e roubando como doidos.

S. G. – *A revolução brasileira deixa claro o aspecto desagregador e destrutivo do movimento revolucionário, que é incapaz de construir algo no lugar da sociedade que ele destrói.*

O. de C. – No Brasil isso é ainda mais evidente. A rigor, o governo não está fazendo coisa alguma no sentido de implantar o socialismo, suas ações não passam de ensaios muito tímidos. O que ele está impondo ainda é apenas aquele resíduo de Revolução Cultural radicalizada: gayzismo, feminismo, racialismo, ideologia de gênero, etc. Mas o governo não é necessário para avançar essas agendas, pois os organismos internacionais já o fazem. Então, praticamente a única iniciativa política que se vê no Brasil vêm dos organismos internacionais. O governo apenas carrega uma agenda que não é dele.

A mentalidade comunista dos anos 70 e 80 não tinha nada a ver com esse programa. Eles pegaram carona nisso porque achavam que era vantajoso e porque essa era uma maneira de expressar a revolta contra sociedade burguesa e contra a Igreja. Mas era algo secundário. Hoje, porém, isso é o único item do programa. Na verdade, isso é uma revolta de classe média que nada tem a ver com o proletariado, muito menos com a população pobre.

Outro fenômeno que ocorreu no Brasil foi "lumpenização" da esquerda. Hoje em dia, graças a esse tipo de bandeira, que se sobrepõe muito a qualquer bandeira de ordem econômica ou até à idéia de socialismo, o conceito de povo que esquerda tem é o *lumpemproletariado*, ou seja, os bandidos, as prostitutas, os viciados, traficantes, etc. É essa faixa social que a esquerda hoje defende e em nome da qual ela fala. Inclusive do ponto de vista estético. A tendência é cada vez mais a classe média imitar os hábitos do *lumpem*, se vestir como *lumpem*, falar como *lumpem*, etc. Marx estava muito certo quando dizia que o *lumpem* não é uma força revolucionária, mas certamente é uma força de decomposição. E o que se observa no Brasil é o fenômeno da decomposição: financeira, administrativa, moral, cultural etc. O Brasil é uma país que está se desfazendo diante de nós. A corrupção galopante que ninguém consegue deter, a magnífica compra de consciências com a qual se transforma o Supremo Tribunal Federal num escritório do Partido, são apenas sintomas da decomposição moral.

Toda revolução precisa de uma certa dose de decomposição, mas num certo momento, é preciso passar, como se diz alquimicamente, do mercúrio para o enxofre, ou seja, da dissolução para a fixação. Mas a esquerda não tem como passar para a fixação. Essa decomposição, portanto, vai continuar. E até onde podemos chegar? Bem, eu acho que eles vão transformar o país inteiro num bordel.

S. G. – *Ou a fixação virá por forças externas...*

O. de C. – Claro, é possível. A Rússia está de olho no Brasil. Não é possível uma intervenção militar, mas para a Rússia encher o Brasil de agentes não custa muito. O professor Alexandre Duguin está sempre no Brasil, falando em universidades. A sua proposta eurasiana pode se tornar o novo mito unificador da esquerda nacional, transcendendo as divisões entre direita e esquerda e substituindo-as por Eurásia e Ocidente. Para Duguin, o eurasianismo é tão elástico que o Brasil está na Eurásia. A divisão não é geográfica, mas ideológica – ou mitológica –, portanto qualquer país pode fazer parte da Eurásia.

S. G. – *Falando em Duguin e eurasianismo, entramos no segundo ponto sobre o qual gostaria de ouvir, que é a questão da Nova Era. No livro, você analisa uma obra de Fritjof Capra, um autor que passou como um cometa pelo Brasil, brilhou por alguns instantes mas foi logo esquecido, ou pelo menos nunca exerceu uma influência relevante no cenário intelectual. Capra* *foi uma moda, como todas, passageira. Contudo, o fenômeno da Nova Era deixou raízes profundas em todo o mundo e cresceu formidavelmente com o apoio de organismos internacionais às propostas de religiões globais alternativas ao cristianismo, como descritas, por exemplo, nos livros de Lee Penn,[83] do Mons. Sanahuja,[84] e tantos outros. Como você vê o desenvolvimento da Nova Era no Brasil nos últimos 20 anos?*

O. de C. – A Nova Era foi apenas uma etapa de um vasto movimento de desocidentalização e de descristianização da cultura, abrindo-a para influências orientais, que são valorizadas não em si mesmas, mas naquilo que têm de elemento corrosivo. E curioso é que por trás do movimento da Nova Era está a mão islâmica. O islam não se comprometeu diretamente com o movimento, mas tentou controlar de longe. A idéia é que o sujeito percorra o seguinte trajeto: primeiro se descristianiza. Depois, torna-se ateu cientificista. Num outro momento, desinteressa-se disso, afinal, o cientificismo é algo do século XIX e já superado, e começa a se aproximar do Tao da Física e coisas similares. Então, o sujeito entra em alguma organização ocultista e depois de se desiludir com ela, chega ao topo. Mas o que é o topo? O topo é o sufismo, o esoterismo islâmico, que mais ou menos controla todo esse processo de longe, por meio da influência discreta das *tariqas*.

Podemos nos perguntar como é que se islamiza uma pessoa. Ora, não se pode islamizar um típico ocidental do dia para a noite. É preciso faze-lo passar por uma série de processos de dissolução. A Nova Era é um dos componentes do mercúrio, uma força dissolvente. O que vem em seguida é o islam, que veste uma *jilaabah* no sujeito, mete-lhe um turbante na cabeça e lhe dá uma forma, enquadrando-o.

---

83 Lee Penn, *False Dawn. The United Religions Initiative, Globalism and the Quest for a One-World Religion*, Sophia Perennis, 2005.
84 Juan Claudio Sanahuja, *Poder Global e Religião Universal*, trad. Lyège Carvalho, Campinas, SP: Ecclesiae, 2012.

Quando René Guénon começa seu trabalho no ocidente, ele está contra todas as organizações ocultistas, mas é nelas que ele procura seu público. Ele queria operar um transmutação, puxar toda essa força dissolvente para o islam. Ele e Fritjof Schuon fizeram isso.

O que as pessoas enxergam no cenário cultural, em primeira instância, não tem nada a ver com o islam. É preciso décadas para perceber que há uma mão islâmica por trás disso.

Algum tempo atrás, Tony Blair fez um pronunciamento dizendo que aquilo que se observa no Oriente Médio é o conflito entre o fundamentalismo islâmico e o mundo moderno. Muita gente pensa que é assim mesmo, pois ali se observa um contraste muito claro entre uma sociedade que é moldada por uma lei religiosa muito rígida, que deve ser obedecida integralmente, e uma sociedade marcada pela democracia, pela liberdade de imprensa, pluralismo de idéias, etc. Acontece que essas duas coisas não estão no mesmo plano. O islam é realmente um monobloco, apesar de suas divergências internas. A lei que estrutura a conduta em 28 países é a mesma. Ela nunca é discutida, mas tudo é discutido em função dela. O Corão não é discutível. Por outro lado, no mundo ocidental, existe o Estado leigo, que faz abstração de valores e se coloca apenas como uma regra formal, embora essa regra seja claramente voltada contra a raiz cristã da civilização. Então não podemos dizer que há uma competição entre iguais, como seria entre islamismo e cristianismo, entre dois poderes espirituais. O que temos é um poder espiritual de um lado e, do outro, um sistema de auto-dissolução, que é a democracia ocidental.

Portanto, é impossível falar em competição entre o islam e o mundo modern, porque foi este quem abriu as portas àquele, já que o islamismo foi um dos elementos orientais usados para corroer o cristianismo. E o islam vêm de fato com um mensagem espiritual muito superior às outras tradições orientais que não têm agentes de propaganda. Não se vê agentes budistas ou hinduistas, por exemplo. A partir do momento em que os muçulmanos se vêm desde a perspectiva da unidade transcendente das religiões, eles se colocam como os gerentes gerais da espiritualidade oriental. Qualquer coisa que se faça para facilitar a entrada dessa espiritualidade oriental no ocidente acaba favorecendo os muçulmanos. Então, o mundo moderno de que fala Tony Blair não é um concorrente do islam, mas seu padrinho. A própria Casa Real da Inglaterra é protetora do islam. Sem falar que hoje em dia o número de leis na Europa e nos EUA que protegem o islam e boicotam o cristianismo é imenso. O mundo moderno não é nada mais que autodestruição do cristianismo e portanto ele é vulnerável a qualquer influência espiritual externa. E a única força anticristã organizada no oriente é o islam.

S. G. – *Agora, esse processo de cristalização da espiritualidade gerenciada pelo islam não parece ter ocorrido ainda no Brasil. O efeito da Nova Era está ainda só na sua fase dissolvente?*

O. de C. – Exato. Não houve ainda um avanço islâmico efetivo no Brasil, o que é inteiramente normal, já que em nosso país tudo acontece com atraso.

S. G. – *E apesar da crise que marca a nossa intelectualidade de esquerda, vemos que ela não avançou muito na Nova Era, na pseudo-espiritualidade, como era de se esperar.*

O. de C. – Não. Os intelectuais de esquerda se apegaram mais ao aspecto da revolução sexual. E isso está em andamento no Brasil.

S. G. – *Mas a revolução sexual não é um aspecto da Nova Era?*

O. de C. – Certamente. Mas é um aspecto provisório. A Nova Era entra com a força dissolvente para no fim islamizar tudo. O islam é o enxofre que dará uma forma àquele caos. Mas no Brasil, embora o processo de dissolução seja muito intenso, ele ainda não chegou ao ponto em que as pessoas se desesperam e passam a querer outra coisa. No Brasil ainda virá a liberação das drogas, a liberação da pedofilia, a adoção de novos modelos de família com a concomitante dissolução do direito familiar. Isso ainda vai muito fundo. O impulso caótico do brasileiro ainda não está satisfeito.

Na época eu usei a expressão Nova Era porque era os aspecto que as coisas assumiam então, era a moda daquele momento. Hoje seria preciso uma denominação mais genérica, como orientalismo, ou algo assim, que é a força mais profunda por trás da Nova Era, ou o próprio islam.

S. G. – *Independente do nome que possamos dar ao fenômeno, está claro que ele é uma força anticristã. Parece-me que se a Igreja Católica no Brasil não tivesse se desagregado tanto, a Revolução Cultural não teria tanta força, até porque um dos pilares do gramscismo é a infiltração na Igreja.*

O. de C. – Sem sombra de dúvidas. A Nova Era foi um elemento dissolvente e ajudou a preparar as consciências para a idéia de que pessoas evoluídas não são católicas, nem cristãs, mas budistas, ou espíritas, ou umbandistas, qualquer outra coisa de tipo sincretista. O Brasil sempre teve uma tendência sincrética, de forma que nossa cultura era um terreno fértil para essas coisas. Ademais, o catolicismo no Brasil nunca foi uma instituição profunda. Como dizia o Papa João Paulo II, os brasileiros "são cristãos no sentimento, mas não na fé". Desde o tempo da colônia, o catolicismo sempre foi uma religião superficial. Somado a isso, ainda há o aspecto altamente erotizado da cultura brasileira, que é convidativo a todos esses programas de mudança da estrutura familiar, de implantação da ideologia de gênero, etc.

É importante notar o seguinte: todos os pontos da da Revolução Cultural dizem respeito à moral e à criação de novos hábitos. Do ponto de visto econômico, ninguém tem proposta alguma. Isso é assim porque os comunistas já concluíram que a estatização completa dos meios de produção não funciona. É preciso fazer arranjos, como na China. É o mesmo tipo de arranjo que está estabelecido no Brasil, onde quem manda na economia é o governo e meia dúzia de grandes grupos empresariais que vivem parasitariamente do Estado. Isto não vai mudar. O que pode mudar é a sociedade e a cultura. Um aprofundamento, portanto, da revolução sexual vai acontecer no Brasil, certamente. Tudo será carnavalizado definitiva e agressivamente.

Eu não vejo como a direção das coisas pode ser mudada no Brasil. A esquerda não pode avançar muito e não pode recuar, pois não há quem ocupe seu lugar. E do ponto de vista econômico não podem fazer grande coisa. Então, como na esfera econômica a revolução estagnou, a esquerda vai carregar nas tintas da Revolução Cultural, agora compreendida no sentido mais estrito da mudança da moral, especialmente da moral sexual. Podemos acrescentar aí a legalização das drogas, que certamente virá. Então teremos um país de drogados, de pedófilos e de tudo o que vier com essas mudanças. É só isso que a esquerda pode fazer hoje e são esses os únicos itens de sua agenda; somente por essas coisas a esquerda luta atualmente.

S. G. – *Em 1994 você não tinha conhecimento da existência do Foro de São Paulo, ou, pelo menos, de seus propósitos e força. Hoje, o Foro de São Paulo é a principal força revolucionária do continente, da qual a Revolução Cultural é apenas uma das estratégias disponíveis. Em que o Foro altera a análise da Revolução Cultural?*

O. de C. – Eu fiquei sabendo do Foro de São Paulo no final da década de 1990, graças ao dr. José Carlos Graça Wagner, que tinha um acervo enorme de documentos sobre a organização. Quando tomei conhecimento desses documentos, eu quase caí de costa, porque até então eu ainda via o PT como uma espécie de partido trabalhista infiltrado por comunistas, mas não totalmente envolvido no movimento comunista internacional. Quando descobri o Foro de São Paulo, percebi que era exatamente o contrário. E quando vi que o fundador do Foro era o próprio Lula, em associação com Fidel Castro, eu percebi que tinha uma visão muito rósea de Lula. Ele me parecia um daqueles líderes do antigo PTB, um sindicalista, um homem de esquerda, evidentemente, mas não um comunista.

Quando eu digo comunista, não estou dizendo ideologicamente. A ideologia só interessa na cabeça de um sujeito que é capaz de ter uma ideologia e o Lula não o é. Ideologia é para quem tem idéias. Então, quando eu digo "ser comunista", quero dizer estar dentro de um sistema comunista integrado e trabalhando para aquilo, pouco importando as convicções do sujeito. Eu acredito que Lula não tenha convicção alguma, ele apenas se adapta às exigências do movimento. O que interessa, portanto, é saber de qual movimento ele faz parte. No momento em que escrevi *A Nova Era e a Revolução Cultural*, eu só pensava no Lula em função do PT, mas, posteriormente, o Foro de São Paulo me mostrou que ele estava dentro de algo muito maior, que era o sistema comunista revolucionário no continente, do qual ele se tornou o chefe, por delegação de Fidel Castro. Ele não é um líder propriamente dito, nem nunca foi, ele nunca toma decisões. Lula é símbolo aglutinador. E ele desempenha essa função muito bem. Sua característica mais notável é a ausência de inimigos. Ele diz que seu ideal político é Getúlio Vargas, que por sua vez dizia não ter nenhum inimigo que não pudesse ser transformado em amigo. Lula faz isso, ele consegue acalmar os ânimos e representar o conjunto. Ele nunca procura briga com ninguém e está mais interessado em sua sobrevivência política. Sob esse ponto de vista, ele é um artista. E foi graças a isso que ele subiu dentro do movimento e simboliza a unidade da esquerda nacional. Para desempenhar essa função, de símbolo aglutinador, ele precisou abdicar de ser um líder no sentido positivo, de ser um homem que decide e manda.

Ele fez a mesma coisa dentro do Foro de São Paulo. Embora fosse o presidente do Foro, ele não era um de seus membros mais ativos: ele simplesmente deixava os outros falarem. E estava sempre buscando acordos, tentando aproximar todo mundo e juntar o time, apesar das divergências. Gilberto Carvalho e Marco Aurélio Garcia foram muito mais ativos dentro do Foro do que ele.

A partir daí, eu comecei a entender o Lula de outra maneira. Ele não pode ser compreendido apenas dentro do quadro nacional, em que ele parece ser realmente apenas um líder trabalhista antigo. É preciso olhar para o mecanismo ao qual ele pertence, que é o mecanismo da revolução continental, onde ele ocupa um posto nada desprezível.

Portanto, para compreender o processo revolucionário brasileiro é preciso conhecer o desenvolvimento do Foro de São Paulo, que não opera apenas por meio da Revolução Cultural. Há ali uma proposta militar também, apoiada no narcotráfico. A organização e instrumentalização do banditismo é um dos elementos fundamentais do Foro. Nesse ínterim, as FARC conseguiram desmantelar todos os outros cartéis concorrentes e conquistaram o monopólio absoluto do tráfico de cocaína no continente. Pequenas redes locais de narcotraficantes são desmanteladas pelos aparatos polícias nacionais, mas as FARC continuam com o monopólio do narcotráfico. E como o Brasil é um dos países que mais consomem cocaína, as FARC precisam de nós desesperadamente. Por isso, no Brasil, ninguém faz nada contra as FARC. Lá, ninguém das FARC é preso, e quando isso ocorre, o próprio governo trata de liberá-lo. As FARC atuam sob proteção do governo brasileiro e de outros governos em torno. Podemos dizer que as FARC são a força principal do Foro de São Paulo, que por sua vez é a única força política que existe no Brasil. Toda a esquerda brasileira está comprometida com ele, assinam decisões unânimes e ninguém discute. Nunca houve uma divisão no Foro de São Paulo, o que é impressionante.

Então chegamos a esse ponto. Temos um governo fraco, que não vai conseguir fazer grandes mudanças estruturais na economia nem na sociedade brasileira, e que por essa razão insiste apenas na revolução sexual, e que aos poucos vai tentar construir uma força policial para implantar uma ditadura. Mas isso vai levar muito tempo. A criação de uma força militar externa, por meio de empréstimos milionários feitos à Cuba e à Bolívia, que possa ocupar militarmente o Brasil, também vai levar muito tempo. Enquanto isso, o que a esquerda vai fazer é aprofundar a revolução sexual. E nada mais. A perspectiva do Brasil é a total desmoralização.

S. G. – *Existe alguma maneira de reverter o quadro, levando em conta que agora a resistência exige, pela própria situação, uma articulação continental?*

O. de C. – Veja, a situação que temos é curiosa: a única força que existe, a esquerda, é uma força fraca, que está em luta contra uma força inexistente. E obviamente o fraco vai ganhar do inexistente. Ou seja, ela só tem alguma força por total falta de resistência.

Para organizar uma força política é necessário primeiro criar uma liderança na sociedade: em sindicatos, associações de bairros, escolas, igrejas, etc. Para isso é preciso uma militância organizada, que a direita não tem. Ou seja, não há uma base social mínima para organizar uma direita capaz de resistir. Talvez fosse possível organizar algo a partir das igrejas, se os religiosos tivessem consciência do que é preciso, mas eles não tem. A oposição religiosa, que de fato existe, é pontual, como no caso do campanha contra o aborto. E nesse sentido ela é muito eficiente, na verdade. Mas não há uma proposta de poder, porque a única coisa que querem é que certas leis não sejam aprovadas. E se uma direita não tem chances de se organizar no Brasil, menos ainda terá de se organizar internacionalmente.

S. G. – *O que é preciso então para criar um movimento político?*

O. de C. – As etapas são as seguintes: num primeiro instante, é preciso criar um movimento de intelectuais que discutam intensamente a situação e criem uma espécie de diagnóstico consensual. Na segunda etapa, é preciso coletar dinheiro para formar uma militância. A terceira etapa é a formação da militância propriamente. A quarta etapa é a penetração na sociedade.

Quanto tempo levaria para fazer tudo isso? Vinte anos.

S. G. – *Um movimento político precisa ter intelectuais, líderes, quadros e militantes. E a direita não tem nada disso.*

O. de C. – Exatamente. Ela não tem nada disso. Dificilmente vamos ver uma situação de decadência social tão óbvia e tão clara. De certo modo, o Brasil está clamando por uma intervenção estrangeira. O país está pronto para sofrer uma descaracterização cultural completa, para ser dissolvido de alguma maneira.

Culturalmente ele já está dissolvido. Vemos essa dissolução até na língua nacional. Hoje as pessoas são incapazes de dominar o próprio idioma, e não estou falando da incapacidade do povão, mas dos escritores, jornalistas e intelectuais em geral. Quando acaba o idioma, acabou a identidade nacional. A cultura brasileira de até os anos 60 se tornou incompreensível para as gerações seguintes; ela aparece tão distante como se fosse a cultura portuguesa. Perdemos o vínculo com nosso próprio passado cultural.

Concluindo, o que eu vejo, então, no Brasil, é um moribundo se agitando contra um fantasma. O moribundo é a esquerda, e o fantasma, que só existe na cabeça do moribundo, é a direita. O Brasil está se decompondo e a única coisa que a esquerda pode fazer é aprofundar essa decomposição.

FICHA CATALOGRÁFICA

Carvalho, Olavo de
    A Nova Era e a Revolução Cultural: Fritjof Capra & Antonio Gramsci / Olavo de Carvalho – Campinas, SP: VIDE Editorial, 2014.

    ISBN: 978-85-67394-26-8

1. Cultura (Deterioração) 2. Intelectuais
I. Olavo de Carvalho II. Título.

                                            CDD – 306.01
                                                    305.553

Índices para Catálogo Sistemático
1. Cultura (Deterioração) – 306.01
2. Intelectuais – 305.553

Este livro foi impresso
pela Gráfica Guadalupe.
e foi composto com
Dutch Mediaeval Book,
papéis *Chambril Avena* 80g/m²
e Cartão Triplex 250g/m².